VERSTOPTE BRIEFJES

Brooke en Keith Desserich

Verstopte briefjes

135 dagen met Elena

SCRIPTUM PSYCHOLOGIE

Oorspronkelijke titel: *Notes left behind*

Copyright © 2009 Brooke en Keith Desserich
Alle rechten voorbehouden
Gepubliceerd in de Verenigde Staten door HarperCollins Publishers, New York
Gepubliceerd in samenwerking met Lennart Sane Agency AB.

Copyright Nederlandse vertaling © 2009 Scriptum, Schiedam
Vertaling Marie-Christine Ruijs
Grafische vormgeving binnenwerk en omslag www.igraph.be

ISBN 978 90 5594 683 9 / NUR 770 Psychologie Algemeen

info@scriptum.nl
www.scriptum.nl

Voor Elena en Gracie
Zij zijn de ware helden
van ons gezin

DIT IS ONZE ELENA

- ♥ Ze eet altijd eerst haar groente op.
- ♥ Het kan haar niet roze genoeg zijn.
- ♥ Ze schrijft haar naam van achter naar voren;
  niet omdat ze hem niet goed kan schrijven, maar
  omdat ze 'het er gewoon mooi uit vindt zien'.
- ♥ Ze slaat haar benen over elkaar als ze zit.
- ♥ Er is niets leukers dan tekenen op school,
  behalve natuurlijk een uitje naar de bibliotheek.
- ♥ Fictie is beter dan non-fictie.
- ♥ Geen prik voor haar, geef haar maar melk.
  Schenk de melk in een wijnglas en zeg 'proost'.
- ♥ Ze is dol op kant en ruches.
- ♥ Maillots horen een junglepatroon of stippen te hebben.
- ♥ Geen broeken, alleen jurken.
- ♥ Ze is dol op baby's.
- ♥ Als je schooltje speelt, is zij altijd de juf.
- ♥ Blijf uit de buurt bij papa bij 'verplichte pret'
  (waterskiën, raften, waterglijbanen).
- ♥ Mama is voor het knuffelen.
- ♥ Sally (een knorrige oude chihuahua) is het liefste
  huisdier dat ze kent.
- ♥ Haarbanden kun je nooit genoeg hebben.
- ♥ Het enige wat ze wil in het leven is moeder worden.
- ♥ Ze is eenvoudig. Ze is onze Elena.

Om meer te lezen over Elena's verhaal,
bezoek www.notesleftbehind.com

INHOUD

Van de auteur 11

DEEL 1 *Het begin* 19

DEEL 2 *De wittebroodsweken* 87

DEEL 3 *Leven na de progressie* 127

Na Helena 229
Nawoord 233
De genezing begint nu 237
Dankwoord 239

VAN DE AUTEUR

Brooke heeft haar briefje. Ik heb het mijne. Ze zitten weggestopt in onze aktetassen, zijn altijd bij ons, altijd binnen handbereik. Ik vond het mijne in de zwarte rugtas die we bij ons hadden tijdens Elena's wensreis. Op de voorkant van de envelop staat een scheef paars hart, precies zoals Elena die zo mooi tekende. Daarnaast had ze in helderroze letters 'PAPA' geschreven voordat ze de envelop had dichtgeplakt en in het geheime zakje van de rugzak had verstopt. Brooke vond haar briefje in het zijvak van haar aktetas, waar Elena het maanden eerder had in gedaan. Het zit ook in een envelop, met op de voorkant een zorgvuldig 'MAMA' in het onvaste handschrift dat Elena kreeg toen de verlamming langzaam inzette. Dit zijn twee van de vele briefjes die Elena in de laatste negen maanden van haar leven voor ons verstopte, soms tussen de boeken op de boekenplank, in de hoeken van onze kastlades, tussen de borden in de porseleinkast of tussen de foto's die tijdens de verbouwing in dozen opgestapeld lagen. Elk briefje had ze daar met opzet achtergelaten om haar liefde voor haar familie te uiten. Ze herinneren ons voortdurend aan haar wilskracht en haar inspiratie. Kennelijk wist ze dat we ze op een dag nodig zouden hebben om door te kunnen gaan.

Ik houd van het hart op mijn briefje. Ik verlang naar haar handgeschreven 'PAPA', dat niet alleen op de envelop staat, maar op alles, van printpapier tot stukjes papier in het hele huis. Maar om die envelop kan ik echt niet heen. In de laatste brief die ik van Elena kreeg, schreef ze dat het haar speet dat ze ziek was. Ik vond hem twee weken na haar dood in het nachtkastje aan mijn kant van het bed. Ik heb de hele week gehuild. Ik kan alleen maar gissen wat deze brief betekent. Misschien wist ze meer dan we ooit voor mogelijk hielden, begreep zij alles, vanaf de eerste diagnose van hersentumor tot het einde aan toe. Zij begreep de verhulde gesprekken met de artsen, ze begreep dat ze nooit zou terugkrijgen wat ze verloor en ze begreep dat die ziekte uiteindelijk haar leven zou opeisen. Maar ik hoop vooral dat ze begreep dat wij ook van haar hielden. Ik wilde alleen dat ik ook briefjes voor haar had geschreven.

Dit boek is ook van Elena, boodschappen van een klein meisje dat onze familie zoveel over het leven heeft geleerd. En hoewel wij ze hebben opgeschreven, staan er de lessen van een zesjarig meisje in dat maar één manier kende om ze op ons over te brengen: met haar hart. Eigenlijk waren deze lessen bestemd voor haar zusje Gracie. Ze zullen altijd voor Gracie blijven. Toen ik daar op die noodlottige avond in november bij Elena zat, haar zachte trekken en warme glimlach verlicht door de ziekenhuismonitor, wist ik dat ons leven nooit meer hetzelfde zou zijn. Het gebeurde op het moment dat ze ons vertelden dat ze nog maar 135 dagen te leven had. Gelukkig werden het er meer, en in de negen maanden die volgden, zou Elena wijs en moe worden, zouden wij als ouders geen angst meer kennen en zou Gracie haar beste vriendinnetje, haar 'Lena', verliezen. Maar Gracie was nog te jong om het te begrijpen en het zich te herinneren. Dit dagboek was bedoeld om deze herinneringen voor haar te bewaren, dag voor dag. Het is ironisch om nu te weten dat terwijl wij dit boek schreven, Elena haar eigen dagelijkse liefdesbriefjes aan ons schreef. Deze briefjes zijn in dit boek opgenomen.

Op sommige avonden schreef ik in Gracies dagboek. Op andere schreef Brooke. En soms schreven we alle twee.

Omwille van de helderheid is per dag aangeduid welk stuk door Brooke of door mij geschreven is. Mijn stukken zijn hier en daar een mengeling van commentaar en woede, terwijl die van haar altijd liefdevol en actueel bleven.

Hoewel Brooke en ik als enigen onze bijdragen leverden aan dit dagboek, werden onze dagen gevuld door bezoekjes van grootouders, tantes, ooms, familieleden en vrienden, die ons hun schouder boden om op te huilen en ons kracht gaven. Ze waren er wanneer we hen het hardst nodig hadden en vertrokken om ons weer een gezin met zijn vieren te laten zijn. Je zult ze in dit dagboek tegenkomen, want ze hebben Elena steeds gesteund en haar een kostbare uitweg geboden uit haar dagelijkse strijd.

Om te kunnen communiceren met onze familie werd ons dagboek voor Gracie op internet geplaatst. Of het nu toeval was of door contacten met vrienden kwam; het dagboek werd al snel veel meer. Onze familieberichten werden gemeengoed toen duizenden mensen in het land Elena's verhaal en onze boodschap aan haar jongere zus begonnen te volgen. We voelden ons niet gemakkelijk onder alle aandacht en brieven aan ons en wilden er eigenlijk mee stoppen. Het was immers alleen voor Gracie bedoeld, en voor niemand anders. We probeerden dat ook verschillende keren uit te leggen in onze berichten. Niemand luisterde. Er bleven brieven binnenkomen, en ze begonnen allemaal met 'Jullie kennen me niet, maar...' Bij sommige brieven zat chocola voor Elena, bij andere tekenspulletjes, maar iedereen zei dat dit simpele dagboek hen leerde van hun kinderen te houden en de kleine momenten van het leven te koesteren. Opeens waren hun kinderen geen afleiding meer, maar een doel in hun leven. Ze leerden tijd vrij te maken, met ze mee te lopen naar school en ze 's avonds voor het instoppen uit het dikste en grootste boek op de plank voor te lezen. En toen begrepen we wat Elena's missie was. Wij waren niet de enigen die van haar leerden, andere mensen konden ook geholpen worden door haar lessen.

Het dagboek bleef online en werd elke dag gelezen. We voelen ons nog steeds ongemakkelijk onder alle aandacht, en daarom blijven sommige berichten en briefjes privé. Andere worden nu voor het eerst in dit boek gepubliceerd, in de hoop mensen bewust te maken. Het zijn onze intiemste gedachten, gevoelens en meningen. Eenvoud, net als Elena.

Het lijkt passend dat er harten op de voorkant van haar dagboek staan. Het was haar handtekening, net als dat ze haar naam achterstevoren schreef. Het hart zegt alles. Met niets meer dan een hart vertelt ze ons dat ze van ons houdt, zelfs over de grenzen van het leven heen. Meer hoef ik niet te weten. Morgen vind ik waarschijnlijk weer een briefje, dat onge-opend zal worden weggestopt in het zijvak van mijn aktetas. Op een dag zal ik de tijd nemen om het te lezen, zittend in Elena's speelhuisje naast de boom waaronder we haar as hebben verspreid. Ik zal huilen en me afvra-gen wat ze allemaal wist. Uiteindelijk zal ik erachter komen dat ze wist wie haar familie was en hoe ze moest liefhebben. Dit zijn haar woorden, haar tekeningen en foto's, en haar inspiratie. Eén hart – één boodschap.

DEEL 1

Het begin

Het begon vroeg. We aten een nachtelijk ontbijt. Omdat haar operatie om zeven uur 's ochtends gepland stond, mocht ze om één uur 's nachts voor het laatst eten. Dus wekte ik haar om middernacht voor een yoghurtontbijt/ diner, alleen was de verpleegkundige vergeten om yoghurt te bestellen en moesten we het doen met een maaltijd van pudding en appelsaus. Van één uur 's nachts tot zonsopgang praatten we over *Alice in Wonderland*, over Elena's ontdekking van de afstandsbediening voor de tv en over de dingen die ze altijd had willen doen. En hoewel ik door de tumor niet alles meer verstond wat ze zei, begreep ik haar tekeningen meestal wel.

Eerst verscheen er een cirkel met kronkelige lijnen. Hier wilde ze naar toe – het probleem was alleen dat ik niet begreep wat ze bedoelde. Na verscheidene pogingen en meer dan genoeg frustratie van haar kant, was ik erachter dat ze het over de 'cafetaria' had, een eetcafé anderhalve kilo-

meter bij ons huis vandaan. Haar gezicht klaarde op toen ze vertelde dat ze dan spaghetti met kaas wilde. Het was een opvallend eenvoudig verzoek en we zetten het op de lijst. Het volgende was iets moeilijker: de Eiffeltoren. Tot op heden weet ik niet hoe ze daarbij kwam, maar het was háár lijst en we moesten hem afwerken. Het volgende punt was de 'straat met de jurken'. Ik wist meteen dat het de straat in onze stad was waar trouwjaponnen verkocht werden, maar deed alsof mijn neus bloedde. De afgelopen vijf jaar was ik op weg naar huis expres door die straat gereden, roepend dat de meisjes een jurk moesten uitkiezen. Ze vroeg me haar nu mee te nemen naar de winkels waar ik had gedacht pas te zullen komen als ze zich verloofd had. Het was de vraag of ze dat ooit zou halen. Toch kwam hij op de lijst.

De nacht schreed voort en wij bleven praten. Zij wilde praten en ik wilde luisteren. Slaap was minder belangrijk dan drie dagen geleden. Ik keek naar haar gezicht, beschenen door de lampjes op de hartmonitor, me afvragend of ik me elk detail zou herinneren: de zachtheid van haar wangen, de dansende gloed in haar ogen, de onschuld van haar gedachten. Was het allemaal een nachtmerrie? Zou de tumor weg zijn als ik morgenochtend wakker werd? Misschien wilde het leven ons gewoon een lesje leren en was de tumor morgen op wonderbaarlijke wijze verdwenen. Ik kon het alleen maar hopen.

Die avond stuurden de artsen ons naar huis om uit te rusten, maar nadat ze ons hadden verteld dat onze dochter nog maar 135 dagen te leven had, kwam er van slapen weinig terecht. Toch bleven we glimlachen, veegden de tranen uit onze ogen en deden alsof alles in orde was. Elena had het beste idee. Voor ons vertrek wilde ze Kerstmis vieren. Dus namen we de tijd om haar dierbare beeldjes van Jezus en de engelen uit te zoeken en op te hangen in de boom die de grootouders een paar minuten eerder in alle haast hadden opgezet. Ironisch, want de vorige jaren had ik er altijd op gehamerd dat de kerstboom pas op 15 december mocht worden opgetuigd. Maar dit jaar kon hij niet vroeg genoeg komen.

Brooke las de meisjes voor voordat ze naar bed gingen. Het dikste boek dat we konden vinden.

30 november

De reis naar Memphis duurde lang. Elena mocht daar een aantal experimentele hersenstambehandelingen ondergaan, en we hadden de eerstvolgende vlucht geboekt. Die lieve Elena en haar wens om mooi te zijn. Om haar te beschermen tegen de misselijkheid troffen we alle mogelijke voorzorgsmaatregelen, van luchtverversing en het schoonmaken van het huis tot griepprikken voor het hele gezin. Zo namen we ook stofmaskers uit het ziekenhuis mee die Elena in het vliegtuig kon dragen. Ze wilde er alleen niets van weten. Uiteraard kon ze het wel waarderen om als een koningin op haar troon te worden rondgereden in een rolstoel, maar een stofmasker opdoen was gewoon te erg. Wat zouden haar medepassagiers wel niet van haar uiterlijk vinden? Na veel gesmeek en gezeur droegen we er uiteindelijk allebei een. Ze vond me er raar uitzien.

Inchecken ging ook niet zonder slag of stoot. Met Elena en haar medicijnen duurde het ruim een uur voordat we door de beveiliging heen waren. Het duurde nóg een uur om mama voorbij alle cadeauwinkels te krijgen. Wat Elena maar wilde, ze kreeg het, mama kocht een nieuwe Beanie Baby en ijsjes. Als we op weg naar de terminal langs nog meer cadeauwinkels waren gekomen, waren we nu zeker blut geweest.

Twee uur later waren we in Memphis. Daar maakten we kennis met het nieuwe ziekenhuis en ons nieuwe leefregime. In tegenstelling tot eerdere gesprekken lag het tempo hier hoog; Elena kreeg alle aandacht die nodig is om te kunnen vechten. Voor de avond om was, hadden we vier consulten gehad van elk meer dan een uur, twee röntgenfoto's, een oriënterend gesprek en een nieuw thuis. Ze was uitgeput en ik ook. We eindigden de avond in de hotelkamer met het lezen van de beterschapskaarten die haar klasgenoten van de kleuterschool voor haar hadden gemaakt. Ze kroop in bed met de kaarten onder de dekens tegen zich aan gedrukt. Ik probeer uit te vissen hoe ik die kan wegnemen voordat ze in slaap valt.

Tot zover zijn we in elk geval gekomen. In twee dagen tijd hebben we al de juiste mensen ontmoet. We hebben zelfs al twee van Elena's wensen kunnen inwilligen: de kerstboom opzetten en naar het vliegveld gaan.

DAG

KEITH **3** BROOKE

1 december

We hebben voor het eerst een foto van de tumor gezien. Hij is niet alleen groot, maar ligt ook verstopt achter de wanden van Elena's hersenstam. De prognose is niet goed. Aanvankelijk werd ons verteld dat we drie tot zes maanden zouden hebben. Het is een kleine troost dat de artsen nu zeggen dat we misschien zeven maanden tot iets meer dan een jaar hebben. Dat is nog steeds niet genoeg om onze lieveling haar eerste rijlessen, haar eerste afspraakje, bruiloft of kinderen te mogen meemaken. De mijlpalen van het leven, die iedereen zich herinnert, zijn haar uit handen gerukt. Voor altijd, zonder hoop. Maar we hebben nog maanden te gaan en de dingen zijn nu beter dan wat we eerst te horen kregen.

Elena is erg vermoeid en heeft een angst ontwikkeld voor iedereen met blauwe handschoenen aan. Het zijn immers dezelfde handen die de week hiervoor in haar hebben geprikt en gepord. Ik denk dat ze nu zo ver is dat ze banger is voor de handschoenen dan voor de prikken. Ik overweeg een pak met doorzichtige handschoenen te kopen voor de artsen op haar afdeling, zodat ze minder bang zal zijn. Ze is begonnen met luisteren en vragen stellen. Ik heb altijd geweten dat Elena naar onze gesprekken luisterde, maar nu heeft ze woorden aan haar vocabulaire toegevoegd als 'infuusspoeling', 'MRI' en 'CT-scan'. Ik wist dat ze al die dingen zou leren mocht ze ooit besluiten om arts te worden, maar ik had niet kunnen dromen dat ze deze lessen als patiënt zou krijgen. Ze luistert echter ingespannen mee, terwijl ik de waarheid voor haar verborgen probeer te houden.

Vanavond besloten we haar te trakteren op een etentje naar keuze met haar nichtjes, die van Alabama naar Memphis waren gereden om haar te bezoeken. Het leek een goed idee, maar tegen de tijd dat we de laatste

doktersafspraken afrondden, om zeven uur 's avonds, was het een beetje laat. Daardoor viel ze, spelend met de ballonnen die we voor haar hadden gekocht, tijdens het eten tegen de schouder van haar tante in slaap. Haar toestand verslechterde door haar vermoeidheid, en uiteindelijk droegen we haar het restaurant uit om te voorkomen dat ze over haar eigen voeten zou struikelen. Ik weet dat ze behoefte heeft aan gezelschap, maar nu heeft ze denk ik vooral rust nodig. Ze heeft een zware week achter de rug, en dit is nog maar het begin.

2 december

Vandaag was een goede dag. Het was zaterdag en we hoefden niet naar het ziekenhuis; we hoefden alleen maar Elena's glimlach terug zien te krijgen. Ze was moe vanmorgen, maar had tegelijkertijd veel zin in wafels. Nadat ze om zes uur 's ochtends was wakker geworden uit een slaap met open ogen en knarsende tanden, wilde ze alleen maar wafels met boter. Eerst begrepen we haar niet door haar beperkte stemgeluid, maar ze kon godzijdank tenminste 'wfl' spellen om haar wens kenbaar te maken. Ze moest en zou wafels met slagroom, chocolate chips en kersen als ogen. Afgezien van de kersen at ze alles ook op. Het zal wel door de steroïden komen.

Voor het eerst is Elena het gevoel in haar bovenbenen kwijt. Ze hinkt met haar rechterbeen, haar slikreflex is weg, ze heeft minder kracht in haar rechterarm, het perifere blikveld van haar linkeroog is weg en ze heeft minder gevoel in haar benen. Dat weet ik want ik probeerde haar aan het glimlachen te krijgen door haar gevoeligste kietelplek te kietelen: haar knieën. Ik hoefde altijd maar een beweging richting haar knieën te maken of ze begon al breed te glimlachen. Nu kijkt ze me alleen maar geïrriteerd aan. Ik mis het kietelen van mijn kleine meisje. Voor een vader is dat meer dan een beetje ravotten; het is een manier om mijn liefde te uiten. Ik zal een andere manier moeten vinden om haar aan het glimlachen te krijgen.

3 december

Een ritje met paard en wagen is haar derde keus, na het 'restaurantje' en de Eiffeltoren. (Dat zal deels komen doordat we die eerste avond in *Alice in Wonderland* lazen en wij al bladerend langs *Assepoester* en een afbeelding van het pompoenrijtuig kwamen.) Gelukkig hadden ze er genoeg in Mem-

phis. In weerwil van de windvlagen bij zes graden onder nul togen we
naar het stadscentrum voor een ritje met paard en wagen. De glimlach
kwam meteen weer te voorschijn, ondanks de spanning en de angst die
het gezicht van mijn kleine meid hadden ingepikt. De glimlach was terug
en ik voelde me weer een vader toen we de straten afschuimden. Ondanks
de kanker kon ik haar laten glimlachen en kon ik haar de jeugd teruggeven
die ze op het punt stond te verliezen. En ook al was het bitter koud, we hadden Elena's glimlach om ons aan te warmen. Ik hoop dat dit een blijvende
herinnering zal zijn. Daarna gingen we naar de knuffelsfabriek om een
beer naar eigen ontwerp te laten maken. Dit was ook een van haar verzoeken, maar wel een die door alle kerstdrukte veel minder voldoening gaf.
We stonden in een warenhuis, rug aan rug met wel honderd anderen die

met hun kerstinkopen bezig waren en aasden op de eerste plek in de ver-commercialiseerde race tegen de klok. En voor het eerst in mijn leven was ik jaloers. Ik was jaloers op hun vreugde, jaloers op hun onwetendheid, jaloers op hun haast. Ik wilde degene zijn die zich er druk over maakte hoe bij de volgende winkel te komen, niet de persoon die zijn uiterste best deed om niet te denken aan een toekomst die waarschijnlijk maar kort zou duren.

Maar toen realiseerde ik me dat mijn gezin en ik juist echt waardering hadden voor de kersttijd en wat het symboliseerde. Elena's ziekte heeft ons namelijk geleerd om het laatste zonlicht uit elke dag te persen en om méér in onze kinderen te zien dan alleen een lijst van kerstcadeaus. En ook al zat ik helemaal niet op deze les te wachten, ik zal vanaf nu nooit meer een dag verkwanselen. Ik denk dat Elena dat ook besefte en daarom vroeg om weg te gaan uit het winkelcentrum om een ijsje te gaan eten. We gingen natuurlijk, maar pas nadat we Gracie hadden weten te overtuigen, die haar zinnen op een ballerinapakje voor haar knuffelhond had gezet.

Wat betekent dit allemaal? Ik weet het niet en ik denk niet dat er in elk moment een les moet zitten. Maar ik weet wel dat deze herinneringen moeten voortduren. Of we nu naar de Eiffeltoren gaan of naar de kruidenier; als je er alles uithaalt kunnen beide momenten worden om te koesteren.

DAG

6

KEITH BROOKE

4 december

Vandaag was Elena jarig. Niet echt, maar wel bijna. Door de bestraling van komende woensdag en de biopsie (het weefselonderzoek) vonden haar grootouders en wij vandaag een geschikte dag daarvoor. Dus na haar afspraken gingen we vanmorgen met zijn allen lunchen en daarna weer naar het hotel voor de cadeaus. Daar kreeg ze een gitaar van haar tante en een digitale camera van oma en opa. Nu hebben we foto's vanuit haar perspectief. Wat kan het schelen dat elke foto vanaf het middel naar beneden genomen is?

6 december

Gisteravond moesten we een hartverscheurende beslissing nemen. Uiteindelijk besloten we dat een vertraging van twee weken in de behandeling van Elena's tumor meer was dan we konden riskeren. Haar mond was inmiddels verlamd, ze kon niet meer slikken, en daarom waren we bang dat twee weken gewoon te lang zou zijn om op een biopsie te wachten. We hopen nu dat een reeks bestralingen zal helpen haar normale functies te herstellen.

Ongeveer halverwege de dag merkte ik vandaag dat Elena heel stil werd. Ik vroeg haar wat er aan de hand was en ze zei dat ze er boos van werd dat iedereen het *over* haar had en dat niemand *tegen* haar praatte. Dit is een nieuwe uitdaging. Dus heb ik de artsen en verpleegkundigen gevraagd om het woord ook tot haar te richten, zonder te ver te gaan. We hebben haar uitgelegd hoe bestraling werkt en hoe alles wat we nu doen haar zal helpen om naar huis te kunnen gaan, naar haar normale leven. We hebben zes lange weken voor de boeg, maar als de bestraling eenmaal is begonnen wordt alles wel een gewoon patroon en zal zij zich beter gaan voelen.

De prognose blijft onveranderd, maar we hopen nog steeds op een wonder, al vinden we er een voorzichtige troost in om deze beslissing te nemen en ervoor te zorgen dat Elena zich beter voelt. Hoewel we nog steeds boos en verdrietig zijn, dwingen we onszelf om positief te blijven. Ik weet zeker dat als er één kind is dat deze ziekte kan overwinnen, het Elena is.

7 december

Je zou het waarschijnlijk spijt kunnen noemen, misschien wrok. Maar zonder een besluit daarover voelt het noch als het een, noch als het ander. Toen ik vandaag met Elena zat te wachten, zaten we tegenover een moeder en haar zoon. Hij was ongeveer elf jaar oud en duidelijk een hersentumorpatiënt. Hoewel hij goedgehumeurd was, had hij zo ongeveer elke operatie en behandeling ondergaan die je je kunt voorstellen. Zijn haar was uitgevallen door een agressieve chemotherapie, hij moest zijn laatste MRI-scan en bestralingen ondergaan en er liep een litteken van zijn wenkbrauw tot zijn achterhoofd met een shunt onder de huid geplaatst. Toch had hij zijn persoonlijkheid en zijn gevoel voor humor behouden, ook al liep hij mank en was zijn gezicht verlamd, verschijnselen die vaak optreden na hersenoperaties.

Had mijn dochter er zo uitgezien als we voor de biopsie, de operatie en de chemotherapie hadden gekozen? En zelfs als we die keuze hadden gehad bij de soort tumor die ze heeft, had de uitkomst dan nog erger kunnen zijn? We zullen het wel nooit weten, maar ik kan niet om de vraag heen of onze beslissing om dit als de meest voorkomende hersentumor – het glioom – te behandelen en de biopsie niet uit te voeren, haar berooft van een volledige genezing. Natuurlijk is de kans minimaal en hebben hersenstamoperaties bijna nooit een honderd procent resultaat. Maar anderzijds, wat is de kans dat je deze soort tumor krijgt, een van de ergste tumoren die er bestaan, op de ergst denkbare plek? Ik denk dat het er uiteindelijk op neerkomt dat je op het juiste moment de beste beslissing neemt, ten einde de onvermijdelijke complicaties te voorkomen die je als je elke optie onderzoekt en iedere test ondergaat tegenkomt. Het zijn vragen waar ik als vader niet aan kan ontsnappen.

Hoewel ze heel weinig operatieve behandelingen heeft ondergaan, kost het Elena steeds meer moeite om te lopen, te praten en haar rechterarm te bewegen. Het viel me voor het eerst op dat ze geen kusgeluid meer maakt wanneer ze haar lippen op mijn wang drukt. Dat zal ik het meest missen. Gelukkig is haar geest nog sterk en kan ze ook nog goed stompen. Op dit moment verlangt ze meer naar mama dan naar papa; papa plaagt en kietelt haar immers, terwijl mama haar knuffelt en verzorgt. Ze heeft nu meer behoefte aan knuffels dan aan plagerijtjes. Toch lukt het me om haar nu en dan een glimlach te ontlokken, en om me door haar nog sterke linkerarm te laten meppen wanneer ze wil dat ik haar met rust laat. Ik vertel haar dat als ze me wil slaan en schoppen, zij dat met haar rechterkant moet doen;

de kant die gedeeltelijk verlamd is. Er zijn meerdere manieren om een therapie te benaderen.

Nu de tumor groeit, is haar spraakvermogen zeer beperkt en zie je haar de keren tellen dat ze op haar eten kauwt om zich niet te verslikken. Ik denk dat ze zich even bewust van haar situatie is als wij. Doordat haar tong en verhemelte verlamd zijn, is ze heel moeilijk te verstaan. Ze raakt nu zichtbaar gefrustreerd, en omdat haar rechterhand bijna helemaal verlamd is, kan ze haar gedachten ook niet overbrengen met handgebaren. Brooke en ik proberen haar gebarentaal te leren voor het geval ze haar spraakvermogen helemaal verliest, en ook nog haar gezichtsvermogen. Hopelijk zal ze zich er nooit van hoeven bedienen, maar we zijn ons er pijnlijk van bewust dat dit misschien wel de enige verbinding is die ze met de buitenwereld zal hebben. Ze kent de letters a tot e al in gebarentaal en weet wat de gebaren zijn voor 'moeder', 'vader', 'dank je', 'dorst', 'honger' en 'trots'. We gebruiken het gebaar voor 'trots' de hele dag. Brooke leert haar het gebaar voor 'gezeik' zodat ze tenminste kan vloeken wanneer ze gefrustreerd raakt. Ik denk niet dat er een gebaar bestaat voor 'verrek'. Ik zeg steeds tegen haar dat zolang ze maar blijft proberen om ons dingen te vertellen, wij ons best blijven doen om haar te begrijpen; zo hoeven we nooit te stoppen met praten.

DAG

KEITH **10** BROOKE

8 december

Vandaag heeft ze een rolstoel gekregen. Ik denk dat we dit de afgelopen week wel hebben zien aankomen, maar het liever beschouwden als de nawerking van de anesthesie of het gevolg van uitputting. Nu moeten we wel toegeven dat het door de tumor komt. Het was onmiskenbaar toen Elena wakker werd en haar rechterhand er iets gebogen bij lag, met de vingers gekruld in de palm, zoals je vaak bij oude patiënten met atrofie ziet. Haar hand vertoonde de karakteristieke zwelling, uitgehaald weefsel in de palm en de kloofjes in haar vingers. We smeren haar handpalm steeds in

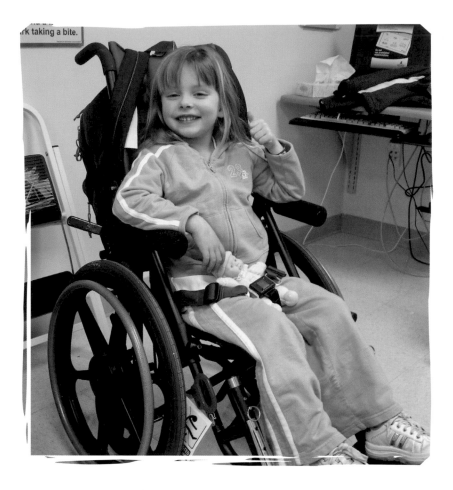

en proberen haar haar hand te laten bewegen, maar het heeft geen zin. De fysiotherapeut zegt steeds dat ze komende dinsdag met Elena aan de slag zal gaan, maar die dag kan ons niet snel genoeg aanbreken, en hetzelfde geldt voor de bestraling.

Om haar hand actief te houden stoppen we er steeds puddingbekers in en drukken we haar op het hart dat ze zelf moet eten. Gelukkig hecht zij ook veel waarde aan haar zelfstandigheid. Hoewel hij verder niets kan, heeft haar rechterhand precies de juiste vorm voor het vasthouden van de bekers en haar verslaving aan chocoladepudding komt nu goed van pas. Vandaag at ze maar liefst vijf puddinkjes en drie bakjes chocolade- en vanille-ijs op. Hoewel we haar ook groente, fruit en vlees voorschotelen, kost het haar moeite om die dingen te eten zonder zich te verslikken.

Bovendien is het moeilijk om haar nu niet te verwennen. En we zijn niet de enigen. Nu ze de afgelopen week zo vaak in en uit de verkoeverkamer is geweest, is het verpleegkundig personeel speciaal voor haar ijs gaan klaarmaken. Zes jaar lang heeft Elena niets anders gewild dan vanille-ijs. Nu wil ze alleen maar een mix van chocolade- en vanille-ijs. Helaas is dat de enige smaak die ze niet hebben. Dat weerhoudt het verpleegkundig personeel er echter niet van om een bak van beide smaken bij elkaar te mengen en in een kartonnen emmertje speciaal voor Elena in te vriezen. Nu heeft ze niet alleen haar eigen ijs, maar ook haar eigen plek in de vriezer van de verpleegkundigen.

Vanavond kwam Gracie in Memphis aan met mijn ouders, en ze zag Elena op haar ergst. Ze was een paar uur geleden geopereerd en de steroïden waren volop aan het werk, waardoor ze helemaal niet in de stemming was voor gezelschap, maar een beetje tijd met Gracie was precies wat ze nodig had. Gracie heeft Elena altijd aan het lachen kunnen krijgen, ook in de slechtste tijden. En vandaag was het slecht. Aan het einde van de avond lachten en stoeiden ze als vanouds. Gracie moest Elena's rolstoel uitproberen. Ze reden door de gang heen en weer en crashten uiteindelijk tegen de muur bij de lift. Ik geloof dat ze dat alle twee even nodig hadden; mama dacht er anders over. Voor de zoveelste keer had Brooke gelijk en ik ongelijk.

DAG

KEITH **11** BROOKE

9 december

We hebben al vijf jaar geen familieportret meer laten maken. Niet omdat we geen tijd of geld hadden, maar omdat we altijd dachten dat we dat het komende jaar wel zouden doen. Voor een gezin met agenda's, budgetten en uitgestelde beloningen was het nooit een prioriteit, tot nu. Vanmorgen hebben we ons eindelijk op de foto laten zetten, vijf jaar te laat. We hadden ons mooi aangekleed, kiezend uit de verzameling kleren die we tien dagen daarvoor in een koffer hadden gepropt, en plooiden onze mond in een glimlach die we vanbinnen niet voelden. Maar toen gebeurde er iets: we herontdekten elkaar.

We ontdekten dat Elena nog steeds haar aanstekelijke glimlach en modelachtige pose had; dat Gracie met haar grappige snoetje en korte aandachtsspanne nog steeds de entertainer was. Mama met haar stralende blauwe ogen en haar rustgevende houding was nog steeds de bindende factor van het gezin. En ik was als man weer het buitenbeentje. Twintig minuten lang leefden we weer zoals twee weken geleden, van foto naar foto, terugdenkend aan een gezin dat alles had omdat we elkaar hadden.

Het was een ervaring die ik elk jaar zou willen hebben. O, kon ik maar terugkijken naar de afgelopen paar jaar en zeggen: 'Kijk eens hoe jong ze hier is' of 'Ze kon toen nog niet stil zitten.' Elke foto vertelt het verhaal van de gelukkiger tijden; we hebben er alleen nooit genoeg gemaakt. We zullen merken dat de last van vandaag overgaat in de last van morgen, maar één ding zal duidelijk zijn: de liefde op die foto's zal ons helpen om elke uitdaging het hoofd te bieden. Maak een foto.

DAG
KEITH 12 BROOKE

10 december

Terugkijkend zijn we blij met de beslissing die we hebben genomen. Als we voor een biopsie of een operatie hadden gekozen, dan hadden we pas na Kerstmis met de bestraling en de chemotherapie kunnen beginnen, en dat was te laat geweest. Vanmorgen constateerden we dat haar kokhals- en slikreflexen verder achteruit zijn gegaan, en als ze morgen niet bestraald zou worden, zou dat zeker hebben betekend dat ze via een sonde moest worden gevoed. Alle verpleegkundigen en artsen vertellen ons dat ze waarschijnlijk eerst achteruitgaat voordat ze herstelt, maar dat wordt minder naarmate de tumor in de komende weken verder krimpt. Het valt nog te bezien of de verlammingsverschijnselen weggaan en of Elena weer zal kunnen praten, maar wij vertellen haar dat de rolstoel maar voor tijdelijk is.

Hoewel ze het ding aanvankelijk niet wilde, is ze nu dol op haar nieuwe wielen. Ik denk dat het haar wel bevalt om steeds rondgereden te worden en alle aandacht te krijgen. Maar nu ik met haar een tochtje heb gemaakt naar de supermarkt kan ik niet wachten tot we het ding kwijt zijn. Een rolstoel duwen is één ding, maar het is iets anders om tegelijkertijd een winkelwagen voor je uit te moeten duwen. Na een paar keer proberen, hebben we de supermarktkar aan het eind van het gangpad geparkeerd en liepen we daarna steeds heen en weer. Dat ging goed tot het derde gangpad, waar iemand er met ons karretje mét inhoud vandoor ging. Op dat moment besloot ik dat het hoognodige genoeg was, haalde brood en yoghurt en rekende af. Ik ben klaar met deze dag.

DAG

14

KEITH BROOKE

12 december

Haar nieuwe bijnaam is Fred. Dat is althans hoe ik haar noem wanneer ze de artsen en verpleegkundigen straal negeert. En dat lokt altijd een reactie uit. Eerst slaat ze me met haar nog sterke linkerhand en daarna vormen haar lippen zich langzaam tot een glimlach.

De eerste keer was toen een buschauffeur haar naam vroeg en zij haar hand voor haar gezicht hield. Ik zei hem dat ze 'Fred George' heette. Ik was niet van plan om haar die dag slecht te laten beginnen.

Vanaf dat moment is de naam gebleven. Ze was 'Fred' voor de receptionist, de verpleegkundigen bij de bestraling en verder iedereen die maar wilde luisteren. En tegen die tijd begon mijn kleine meisje te zwichten. De klappen werden krachtiger, maar dat gold ook voor de glimlach. Ik wist wel dat het slechts een kwestie van tijd was. De rest van de dag verliep wonderbaarlijk goed; haar houding was positief, ze was niet zo bang voor de bestraling (ik ben nu zeer mild; er werden genoeg tranen vergoten toen ze verdoofd werd) en ze begon zowaar te praten tijdens de logopedieklas.

Dat was geen geringe prestatie voor een meisje dat de afgelopen vier dagen geen woord had gesproken. De woorden waren niet duidelijk of luid, maar ze deed haar best.

Zo snel als hij was begonnen, was onze ziekenhuisdag weer voorbij. Hoe graag ze ook wilde uitrusten, eerst wilde ze de dieren zien. Op naar de dierentuin dus. Tijdens de veertig minuten die volgden, ging het uitje ongeveer als volgt: 'O, moet je dat nijlpaard zien. O, moet je die giraf zien. O, moet je die leeuw zien. O, moet je die pinguïn zien... laat maar, ze zitten binnen.' Dertig seconden per dier geeft je weinig ruimte voor bespiegelingen; vooral niet wanneer er dreigende donderwolken in de lucht hangen.

Daarna gingen we naar de pandaberen, of moet ik p-a-n-d-a-'s! zeggen? Persoonlijk snap ik niet wat nou de aantrekkingskracht van de panda is. Waarom hebben zij hun eigen huis, hun fluwelen touwen en hun eigen monumenten, terwijl de arme olifanten in een stinkende loods zitten? Heeft dan op zijn minst de pauw niet een kleine tempel verdiend? Ik blijk in de minderheid te zijn, want de rest van de wereld heeft alleen maar ontzag voor die zwart-wit gevlekte beren, en zo ook mijn dochter. Dus stonden we ze tien lange minuten te bewonderen, waardoor we snel langs de zebra's, de gorilla en de op antilopen lijkende wezens met strepen (volgens mij heeft elke dierentuin er duizenden van en weet niemand hoe ze heten) moesten om de verloren tijd in te halen. Elena kon het niet schelen; in haar geest hadden deze dieren een tempel verdiend en ze drukte haar neus zo dicht mogelijk tegen het glas als ze kon zonder de rolstoel te doen omkiepen. En toen kwam de glimlach. En toen kwam de opmerking: 'Pap, maak een foto.' En toen was ze Elena. Ik hou nu iets meer van pandaberen.

Daarna liepen we door het hek naar onze auto, maar niet voordat we drie amish tegen het lijf waren gelopen die iemand in het ziekenhuis kwamen opzoeken. Drie uur daarvoor waren ze naar de dierentuin gegaan en nu hadden ze daar spijt van vanwege de onheilspellende wolken aan de hemel. Dus besloten we de amish in al onze voorzienigheid de hand te reiken en een lift naar het ziekenhuis aan te bieden. Elena vond het hilarisch. Ik weet niet of ze de neteligheid van dit gebaar echt begreep – de amish rijden immers nog met paard-en-wagen – maar ze bleef lachen. En toen we wegreden, grapte een van de mannen: 'Je zult wel nooit eerder een amish in je auto hebben gehad.' Elena barstte in lachen uit en bleef de hele weg lachen. De hele rit lachte ze, zittend naast drie amish op de achterbank van het busje. Als er ooit een fotomoment was, dan was dit het wel. Jammer dat de batterijen van mijn toestel leeg waren. Nou ja, zulke dingen gebeuren dagelijks. Ik maak die foto de volgende keer wel.

DAG

KEITH **15** BROOKE

13 december

Kerstmis is in volle gang in het ziekenhuis, en elke dag komen er donaties binnen en twintig of meer cadeaus per patiënt. Ik denk dat ik eindelijk het officiële trainingskamp voor nep-Kerstmannen heb ontmaskerd, want we zijn de afgelopen vier dagen door wel meer dan vijf Kerstmannen bezocht. Dit zal ons hele kerstverhaal geen goed doen. Ik denk dat Elena al weet hoe de vork in de steel zit, maar dat ze me dat niet durft te vertellen. Ik geloof dat ze denkt dat ik nog wél in hem geloof en dat ze mijn Kerstmis niet wil bederven.

Vandaag kwam de Kerstman weer. Maar bij de vijfde keer had zelfs Elena zo haar bedenkingen. Omdat we niets te doen hadden en er nog twee uur over waren tot de volgende afspraak, besloten we een wandelingetje over het ziekenhuisterrein te maken. We waren niet de enigen, want we kwamen in een rij van honderden wachtende mensen terecht die een glimp van de Kerstman hoopten op te vangen. Binnen enkele minuten stond Elena vooraan, waar ze bij de groep nul- tot zesjarigen werd gevoegd. Daar kreeg ze speelgoed en een boek dat ze onmiddellijk opensloeg om te gaan lezen.

Dit aardige gebaar kwam onverwacht, althans voor ons. Dat het een jaarlijks evenement was, bleek uit de menigte die om de rij voor nul- tot zesjarigen heen gedromd stond. Ouders hadden er niet alleen van geweten, maar hun kinderen ook nog op de situatie voorbereid door hen op te dragen het 'meest waardevolle' of 'meest gevraagde' speelgoed van het jaar uit te kiezen. Het ging er niet langer om wat de kinderen blij maakte, maar om wat de ouders blij maakte. Overal om me heen stonden kinderen die uit hun bed gesleept waren, van de chemotherapie weg, om een 'prijs' voor de ouders te kunnen opeisen. En hoewel er kinderen bij waren die er zelf voor hadden gekozen hierbij te zijn, waren er ook patiëntjes bij die liever in bed waren gebleven, overal liever dan hier. De kinderen leken zich bijna te schamen voor hun ouders. Dat zou ik ook hebben gedaan. Die ouders hadden dit niet alleen gepländ, maar stonden ook tegen andere gezinnen op te scheppen over hoe ze een liefdadigheidsorganisatie hadden doen geloven dat hun vierjarige als laatste wens naar Las Vegas wilde. Ik weet niet hoe het met jullie zit, maar ik kan maar moeilijk geloven dat een vierjarige Las Vegas kiest als zijn of haar ideale vakantiebestemming.

Dacht Elena er ook zo over? Dat weet ik niet, maar toen het haar beurt was om iets uit te zoeken, koos ze het eenvoudigste knutselboekje van vijf dollar op tafel uit, liever dan een cd-speler, een Disney-muziekinstrument, een mp3-speler en een of ander Dora-ding in een enorme doos. Daarna vroeg ze met een gebaar naar de deur of we weg konden. Ik ging akkoord. We vertrokken en gingen op het gras zitten nadenken over wat we zojuist hadden gezien, bladerend door het boekje.

Tragedies kunnen inspireren en levens verwoesten. Sommige mensen gebruiken een tragedie om anderen uit te buiten, maar de consequenties van deze daden schaden niet alleen hun eigen reputatie, maar ook de indruk die hun kinderen van hen hebben. Andere mensen reageren op een tragedie met escapistisch gedrag en verwennen hun kinderen. Daar maak ik me ook schuldig aan. Als ik naar Elena's situatie kijk, wil ik haar het liefst meenemen en haar de wereld laten zien. Het komende halfjaar wil ik haar van school laten spijbelen en haar nooit uit het oog verliezen. Ik wil dat hondje voor haar kopen waarvan ik zei dat ik er allergisch voor was, dat bijzondere speelgoed waarvan ik nooit dacht dat ik er het geld voor zou hebben en de mooiste kleren die niet eerder gedragen zijn. Ik wil haar alles geven. Maar als ik dat zou doen, zou ik ook alles weghalen.

Normaal zijn is ook een gave. Ze heeft heimwee omdat ze naar school wil, omdat ze naar haar onvolmaakte thuis verlangt, omdat ze regels en discipline wil en omdat ze haar zusje bij zich in de buurt wil hebben. Je dagelijks leven is immers het leven dat je uitkiest en hopelijk ook het leven dat je altijd hebt willen leiden. Meer kun je niet hopen: dat je tevreden bent met je leven en met jezelf. Dat is het geschenk dat ik mijn dochter wil geven, het geschenk dat ik haar de rest van haar leven moet blijven geven, ongeacht de lengte.

Elena wil haar familie respecteren, ze wil haar leven terug en ze wil er geen speelgoed of reisje voor in de plaats. In dit opzicht heeft haar ziekte ons allemaal een les geleerd in waardering en dankbaarheid voor wat we al hebben. En misschien is het nooit genoeg, maar het is wel wat we nodig hebben. We zullen nog steeds soms op vakantie gaan, we zullen onze tijd samen nog koesteren, maar vanaf nu zal ik ook haar leven eren als de vijf-jarige uit Cincinatti met een achtergrond die stevig in normen en waarden is geworteld. Over twee weken, na de bestralingen en de chemotherapie, zal ze haar familie, haar school, haar vriendjes en vriendinnetjes en haar leven terugkrijgen. En als ze dan nog een hondje wil, wie weet moet ik dan afstand doen van mijn allergie. Normaal zijn betekent niet dat ik haar niet zal verwennen.

DAG

KEITH **16** BROOKE

14 december

De afgelopen vijftien dagen heb ik een paar dingen geleerd over de genees-kunde. Ten eerste mogen goede manieren aan het bed van een kind nooit worden onderschat. We zijn fantastisch prestigieuze artsen tegengekomen die niet wisten wie Dora of Barbie was en dachten dat elk probleem kon worden opgelost door een nieuwe katheter in mijn dochter te stoppen. We hebben ook artsen ontmoet die eerlijk toegaven dat ze het niet meer wisten maar wel hadden onthouden wanneer Elena jarig was, wat haar favoriete smaak ijs was en dat ze liever stickers kreeg van Ariel dan van Jasmine. En zo vaak boekte de arts met de goede bedmanieren de beste resultaten. Niet vanwege zijn kennis, maar doordat hij meer dingen te weten kwam naarmate Elena zich meer voor hem openstelde. Immers, een goede onderzoeker legt alle feiten bloot.

Het tweede dat ik over de geneeskunde te weten ben gekomen is dat de patiënt, voor een goede werking van de medicijnen, een actieve houding moet aannemen. De patiënt moet de ziekte niet alleen begrijpen, maar ook weten wanneer het proces gestuurd moet worden. Het is immers jouw lichaam of dat van je kind dat op het spel staat. Het zal nooit zo'n hoge prioriteit hebben voor hen als dat het voor jou heeft.

Het derde dat ik heb geleerd over de geneeskunde is dat een goede houding en een positieve kijk van essentieel belang zijn voor herstel. En hoewel je aanvankelijk natuurlijk nogal van de kaart bent, breekt er een tijd aan dat je papieren zakdoekjes op zijn en dat je aan je herstel moet werken. In dat stadium zitten wij nu.

Het vierde dat ik heb geleerd over de geneeskunde is dat keelontstekingen tumoren veroorzaken. Nou ja, misschien dóén ze dat niet, maar het lijkt wel zo wanneer je je dochter naar het ziekenhuis brengt voor een simpele infectie en je meer te weten komt dan je ooit wilde weten. Als Gracie ooit een keelontsteking krijgt, laat ik meteen een MRI-scan maken. Is het overdreven om zo'n apparaat te kopen en in de kelder te zetten voor het geval dat?

Maar nu serieus, vandaag was een dag om dankbaar voor te zijn. En net toen we ontdekten hoe belangrijk het is om positief te blijven, kwam Gracie de dag goedmaken. Elena en Gracie hebben namelijk nooit iets anders met elkaar gemeen gehad dan hun ouders. Elena heeft bruin haar, Gracie is blond. Elena heeft papa's neus (de stakker) en Gracie die van mama. Elena is het voorzichtige kind, terwijl ik de rest van mijn leven 's avonds voor Gracie op zal moeten blijven (bij de voordeur waarschijnlijk en met een geweer in mijn hand; je kunt de jongens niet meer vertrouwen tegenwoordig). Elena is waardig, en Gracie? Nou, die heeft een sprankelende glimlach maar geen grammetje gratie. (Ik hád nog tegen Brooke gezegd dat ze nooit gracieus zou zijn als we haar Grace noemden, maar ik ben niet zo iemand die zegt 'Heb ik het niet gezegd?') Elena houdt van gelakte nagels en jurken; Gracie houdt van radiografisch bestuurbare auto's. Elena is serieus en gestructureerd; Gracie is, nou ja, Gracie. En zij is precies wat Elena nu nodig heeft.

Na een week over tumoren, bestraling en haarverlies te hebben horen praten, zwoegend om elk hapje yoghurt binnen te houden, was Elena toe aan een dosis van Gracies spontaniteit en onorthodoxe liefde. Oma's liefde was natuurlijk ook meer dan welkom. Ze arriveerden net op tijd. En samen kregen ze Elena binnen acht uur na hun komst eindelijk aan het lachen. Het duurde niet lang voordat Elena weer liep, praatte, at en glimlachte. Dus wat papa en de artsen in vier dagen niet voor elkaar hadden gekregen, lukte Gracie en oma binnen acht uur. Het herstel was verbazingwekkend. En ook al zullen de farmaceutische bedrijven en de artsen met de eer van haar herstel gaan strijken, zich beroepend op bestraling, dexamethasone, senna, ondansetron en wat ze allemaal nog meer slikt, Elena kreeg ook een dosis liefde voorgeschreven.

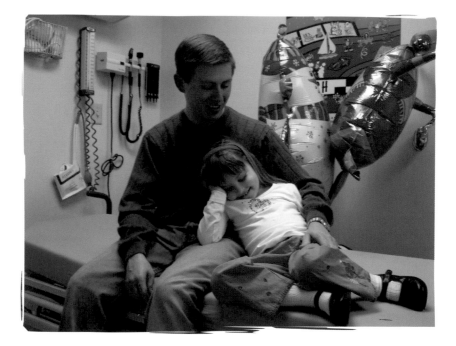

Oma en mama dienden ook hun dosis toe. De farmaceutische bedrijven zullen vast patent gaan aanvragen op het kopen van jurken en schoenen zodra ze ontdekken dat Elena enorm vooruitging toen ze door de gangpaden van de plaatselijke kledingwinkels werd geleid, in voorbereiding op haar uitje naar *De Notenkraker* op zaterdag. Het is ongelofelijk wat een rode fluwelen jurk en lakleren rode balletschoentjes tegen kanker vermogen. Ze zijn waarschijnlijk ook goedkoper dan de meeste medicijnen.

Vandaag was het Gracies grote dag en dat hadden we allemaal nodig. Met haar overmaat aan energie en sprankelende lach, en haar eenvoudige maar rake opmerkingen, houdt ze de boel levendig. De ene minuut zegt ze tegen me: 'Jeetje pap, weet je, we zouden al die dokters voor Elena niet nodig hebben als we gewoon Jezus naar beneden konden halen om haar beter te maken,' en de volgende minuut legt ze het verschil uit tussen de sticker van Hello Kitty die ze me wilde geven en de Barbiesticker die ze op mijn T-shirt plakte. Ze heeft de opmerking nooit meer herhaald, en er verder niets meer over gezegd, en ik zou echt niet weten waar die briljante invallen vandaan komen, maar bij Gracie weet je dat ze op dat moment recht uit haar hart komen. Haar passie ligt in het hier en nu en God weet dat we dat nu heel hard nodig hebben. En voor wie geïnteresseerd is: het verschil tussen de sticker van Hello Kitty en de Barbiesticker is dat ik geen meisje ben en daarom wel meer op een kat moet lijken. Het zijn inderdaad briljante invallen.

DAG

KEITH **18** BROOKE

16 december

Het zal wel door de robijnrode muiltjes komen. Elena droeg ze vandaag voor het eerst en het was een verschil van dag en nacht. Van 's ochtends vroeg tot 's avonds laat liep ze op eigen kracht door bijna alle gangen (uiteraard met een overdreven beschermende mama en papa aan haar zij). Toen ze een ritje in de rolstoel kreeg aangeboden, weigerde ze en bleef lopen, al kostte het haar door de verlamming en de atrofie de grootste moeite om haar rechtervoet op te tillen. Ik denk dat het vandaag eerder een kwestie van wil was dan van kracht, want ze was in een goede stemming en ze wist precies wat ze wilde. Bovendien was ze bang de glans van haar nieuwe glimmende schoenen te schuifelen. Elena is namelijk zo'n meisjes dat er trots op is wanneer haar schoenen glimmen, en daardoor wist ik dat ze bij elke stap weer iets meer haar best deed om te voorkomen dat ze met haar rechtervoet sleepte. Hoe dan ook, het werkte, en ik zal elke dag nieuwe schoenen voor haar kopen als het haar helpt om te herstellen.

Ook haar stem was vandaag beter want ze dwong zichzelf hem te gebruiken, meestal tegen Gracie met kreten als *'van mij'*, die inderdaad heel duidelijk waren. De rest van de woorden en zinnen waren meestal niet te verstaan, maar waar het om draaide was dat ze het probeerde. Therapie is immers meer een strijd van vastberadenheid dan van vermogens. Dit blijft de komende paar dagen hopelijk vooruitgaan, wanneer mama het overneemt.

Achttien dagen geleden begon ik met een diagnose en een onbekende andere wereld. Het is voor het eerst dat ik Elena zal verlaten om naar Cincinnati te gaan, terwijl mama het de komende dagen van me overneemt. Sinds we achttien dagen geleden hoorden van het bestaan van de tumor ben ik elke dag en elke nacht bij Elena geweest. We hebben gesprekken gevoerd over levenswensen, we hebben gekibbeld over de Muppets, met een intensiteit die ik niet voor mogelijk had gehouden. Zij is fan van Rizzo, terwijl ik een aanhanger van Gonzo ben. De kloof kan niet groter. Verder ben ik meer te weten gekomen over mijn dochter dan ik in vijf jaar, elf maanden en zesentwintig dagen over haar had geleerd. Ze houdt meer van schilderen dan van tekenen, geeft de voorkeur aan nachtjaponnen zonder mouwen en is dol op chocolade/vanille-ijs. Als ze dat niet hebben, zal ze genoegen nemen met vanille-ijs, maar ze zal nooit alleen chocolade-ijs eten. En in die tijd heb ik haar achteruit zien gaan van hinkend en met zwakke stem naar een verlamming van haar rechterzijde, een beperkt gezichtsvermogen links en helemaal stemloos. Ze heeft de cirkel rond gemaakt en we zijn weer waar we begonnen: met een hinkend rechterbeen en een zwakke stem. In lichamelijk opzicht is het alsof de afgelopen achttien dagen niet eens hebben plaatsgevonden, maar we weten wel beter. Er zijn momenten geweest dat ik me afvroeg of we zelfs dít maar

zouden halen, gealarmeerd door inwendige bloedingen, verslikkingen en een tumor die de agressiefste steroïdenbehandelingen die we konden krijgen nog de baas lijkt te zijn. Ik wil het niet telkens herhalen, maar deze tijd heeft onze prioriteiten steviger verankerd en ons voorbereid op de strijd die nog gaat komen.

Vandaag was ook een dag waarop we die strijd leerden omarmen, op het moment dat we Elena meenamen de stad in. Eerst ging ze met mama, Gracie en mijn moeder naar een salon voor een manicure, een pedicure en een knipbeurt. Het was een kans om zich te laten verwennen door de leerlingen van de plaatselijke kappersschool en weer trots te zijn op hoe ze eruitzag. En al was het moment vluchtig door de pijn van de medicijnen die ze die ochtend had genomen, het hielp om haar stemming te veranderen en de sombere blik te verjagen die ze al de hele week had gehad. Ze voelde zich weer als een klein meisje toen ze haar vinger- en teennagels aan iedereen liet zien die maar wilde kijken. Omdat we die avond naar *De Notenkraker* gingen, was het van groot belang dat de rode nagels en schoenen bij elkaar pasten.

De Notenkraker staat al een tijd op Elena's wensenlijst, sinds het moment waarop ze de notenkrakers zag liggen die we vorig jaar op de schoorsteenmantel hadden neergelegd. En toen Brooke eenmaal had uitgelegd wat ze betekenden en wat het verband was met ballet, was Elena helemaal betoverd. Dus zodra de eerste boom na Halloween in de plaatselijke ijzerhandel werd opgezet (dat is nu eenmaal de winkel waar ik haar het vaakst mee naartoe neem), wist ze dat het tijd was om naar de voorstelling van de *Notenkraker* te gaan. Eindelijk ging ze dan naar haar eerste balletvoorstelling in een echt theater, in een mooie jurk, met mooie nagels en een mooi kapsel. Ze was in de zevende hemel. Uiteraard droeg ze ook de robijnrode muiltjes die haar outfit completeerden.

Het liefst zou ik nu zeggen dat ze van het begin tot het einde geboeid was of dat ze elke ballerina aanbad, maar de waarheid was dat ze na de pauze in mama's armen in slaap viel. De bestraling eiste zijn tol en ze was uitgeput. Maar het was allemaal niet voor niets geweest. Het was een middag weg van verdovingen, van chemotherapie en bloedonderzoeken; dat was het allerbelangrijkst. Het was ook een kans om door mama geknuffeld te worden, en ik weet zeker dat mama dat wel best vond. Gracie was daarentegen een brok energie, heen en weer stuiterend tussen oma's schoot en de mijne. Ze deed de armbewegingen van alle soldaten en sneeuwvlokkenprinsessen en de suikerboonfee op het podium na. Af en toe was ook zij moe en dan begon ze over opa's baard en haar te wrijven, want dat brengt geluk, en kuste ze hem op zijn wang.

Al met al was het een goede dag. De voldoening dat ik vertrek nadat ik haar zo vooruit heb zien gaan, wordt alleen gedempt door het besef dat de vooruitgang volgens de artsen heel goed tijdelijk zou kunnen zijn. Het is sowieso moeilijk om je ooit gezonde dochter in een kwestie van dagen veroordeeld te zien tot verlamming, een arsenaal aan medicijnen en een mogelijk terminale ziekte. Het is zonder twijfel nóg moeilijker om haar te zien terugkeren naar haar vroegere perfectie en je dan te blijven afvragen hoe lang die zal duren. Duurt het drie maanden, vijf maanden, zeven maanden of misschien zelfs de rest van haar leven? Ze gaat vooruit, dat is een ding wat zeker is, en voor zover ik het kan overzien zou ze alles wat ze eerder heeft verloren weer terug kunnen krijgen. Het is onze grootste angst dat ze eerst vooruitgaat en dan heel snel weer verslechtert. Daarom concentreren Brooke en ik ons op haar behandelingen, op mogelijke remedies en op het aanleren van gebarentaal om te kunnen blijven communiceren, mocht ze haar gezichts- en spraakvermogen verliezen wanneer de tumor op een dag terugkomt.

Natuurlijk zullen we altijd hopen op een wonder, maar de realiteit is dat we ons ook op het onvermijdelijke moeten voorbereiden. Tegelijkertijd realiseren we ons dat er een les te leren valt over de prioriteiten die je in het leven stelt en dat we vooral aandacht voor elkaar moeten hebben. We zijn achttien dagen verder en we hebben onze Elena terug. We zijn achttien dagen verder en we kennen haar beter dan ooit. En met deze achttien dagen in gedachten hebben we ook een vastberadenheid en wil bij onze dochter ontdekt die we daarvoor nog nooit hadden gezien. Als die een indicatie zijn van haar kracht, dan betwijfel ik of we de gebarentaal ooit zullen hoeven gebruiken.

20 december

Morgen is Elena's zesde verjaardag. We hadden nooit gedacht dat we die op deze manier zouden doorbrengen. Waar andere kinderen een grote taart, een nieuwe fiets of een week lang feestjes tegemoet zien, willen wij alleen maar tijd. En dat is nu net het enige cadeau dat ik niet kan kopen.

Zes jaar geleden leerde Elena me hoe ik vader moest zijn. Daarvoor was ik onbezonnen en egoïstisch geweest, maar zodra haar tere handje zich om mijn vingers sloot, werd ik teruggefloten. Bij haar geboorte woog ze iets meer dan vier pond, en in haar slecht passende en om haar lijfje slobberende premature kleertjes lag ze rustig in de warmte van mijn onderarm genesteld. Als baby leerde ze ons al zonder te huilen of schreeuwen hoe we betere ouders konden worden en had ze een geduld dat ongewoon leek voor haar leeftijd. Als ik 's nachts wakker werd, was het eerder van gekir

dan van gehuil, en ik begreep wat ze wilde. En zo brachten we de vroege uurtjes door, slapend in de stoel naast haar wiegje, wachtend tot de wekker in de kamer ernaast het begin van een nieuwe dag zou aankondigen.

Het leven had een nieuwe betekenis gekregen en elke handeling had een doel. Ik begon de wereld door de ogen van een vader te bekijken. Werken deed ik om mijn gezin te eten te geven, het nieuws werd opeens zorgwekkend en onderwijs werd een prioriteit. Toch gingen de avonden over Elena en de beslommeringen van de dag, het vaderschap moest wachten. Vanaf haar allereerste week tot haar zesde jaar zaten we aan het eind van de dag samen vredig op het terras of de veranda. Als baby lag ze in mijn armen, maar toen ze ouder werd, zat ze naast me, met haar tenen strijkend over het gras onder haar voeten. En ze was in alle opzichten mijn gelijke en mijn heldin. Vandaag is het al niet anders.

In zes jaar tijd hebben we veel over Elena geleerd. Ze was ooit een baby, maar nu is zij een klein meisje met veel persoonlijkheid en charme. In plaats van haar toekomst te plannen, zijn we nu echter dagen aan het tellen. Op de een of andere manier kan ik me geen ergere diagnose of ergere tijd indenken om haar te verliezen. Dus hopen, bidden en onthouden we. Dat is alles wat we kunnen doen tijdens het tellen van de dagen, en haar zeggen dat alles goed zal komen. Ik hoop het maar.

DAG

23

KEITH BROOKE

21 december

Zes jaar, en de dagen lijken sneller te gaan dan ooit. Vandaag is Elena's zesde verjaardag en ze begon hem fronsend, stijf van de steroïden. Zelfs de buschauffeur kreeg haar niet zo ver dat ze bij het instappen naar hem glimlachte. Maar haar stemming sloeg snel om toen we de verkoeverkamer van de afdeling bestraling verlieten en naar de kantine gingen om te lunchen. Daar nam ze wat zij een 'klein' ontbijt noemde van eieren met kaas, yoghurt, een kom havermout en melk. Wij vonden het niet echt klein. In minder dan een uur daarna vroeg ze wanneer we gingen lunchen.

Vervolgens gingen we terug naar het ziekenhuis voor een schema en om cadeaus uit te delen aan onze engelen van de afdeling hersentumoren. Elena deelde haar met de hand geschreven kaarten uit haar privé-collectie uit en had ook nog wat 'bling' voor de vrouwen in de vorm van een kerstboomspeld die ze eerder dat weekend had uitgekozen. Voor de mannen had ze een notenkraker in gedachten. Ze lijkt dat hele notenkrakerthema nogal serieus te nemen de laatste tijd. Ze slaapt met een notenkraker bij het hoofdeinde van haar bed en staat erop dat we ze thuis op de schoorsteenmantel neerzetten. Dit is haar decoratie en haar stempel op Kerstmis. Ik kan de symboliek niet helemaal volgen, maar het is haar nieuwe kersttraditie.

Het personeel van de afdeling hersentumoren had zijn eigen feest in gedachten: Elena's verpleegkundige stond aan het hoofd van de verjaardagscommissie ter ere van haar. Strooiend met de confetti die ze eerder in het kantoor zo gretig hadden zitten maken door zo ongeveer elk stukje gekleurd papier te perforeren dat ze maar konden vinden, zongen ze *Happy Birthday* voor Elena en verlichtten ze onze zorgen met een tros ballonnen, groot genoeg om een wereldreis mee te maken. Terwijl we van afspraak naar afspraak gingen, verspreidden we de vreugde en de confetti om ons heen, want die viel van onze kleren, uit ons haar en van de rolstoel. Ik denk dat de conciërge precies kan achterhalen hoe ons dagschema eruit heeft gezien. En met de ballonnen aan elke stang van de rolstoel rondden we de dag af en gingen terug naar de kamer; maar niet voordat we tegen elke muur, hoek en persoon waren opgebotst die we door de muur van al die ballonnen niet zagen.

Vanavond viel Elena glimlachend in slaap. Haar stem is vooruitgegaan, ze kan weer echt voedsel eten, haar rechterarm komt weer tot leven en ze loopt zelfstandig in de kamer rond. Het gaat vooruit, godzijdank. Gefeliciteerd, Elena!

DAG

KEITH **24** BROOKE

22 december

Tijd is kostbaar. Dat heb ik geleerd door de afgelopen drie dagen niet bij Elena te zijn. Toen ik woensdagavond in Memphis terugkeerde, haalde ik opgelucht adem. Net zoals Keith de vorige week had ontdekt, dacht ik eenmaal aan het werk in Cincinnati iedere minuut aan Elena en wilde ik terug naar Memphis. En ik bedoel letterlijk elke minuut. In Cincinnati kon ik namelijk niet slapen. Niet omdat ik niet moe was of omdat ik het zo druk had, maar ik ben slapen als tijdverspilling gaan beschouwen. Het is verbazingwekkend hoe een ervaring als deze je kijk op het leven verandert. En hoewel we nooit echt uitsliepen – zes uur 's ochtends was voor ons 'uitslapen', zelfs in het weekend – is elke minuut die je niet bij je ernstig zieke dochter doorbrengt een verloren minuut. Dus wat doe je? Je maakt schoon, ruimt haar kamer op, hangt kerstversieringen op en schrijft tot twee uur 's nachts in een dagboek. En we zijn niet eens moe; dit is gewoon de nieuwe norm.

Hetzelfde geldt voor de kerststemming. Toen we vandaag op de bus stonden te wachten, vroegen Keith en ik ons af wat we nu aan het doen zouden zijn als Elena geen kanker had gekregen. We zouden waarschijnlijk rondrennen in de stad, op zoek naar dat laatste cadeau, vloekend in onszelf terwijl we in de file stonden te wachten en tot zeven uur 's avonds doorwerkten. We zouden klagen dat we niet genoeg tijd of geld hadden voor de perfecte kerstversieringen. Nu is er zoveel meer om aan te denken maar minder om ons druk over te maken. We kijken terug naar de foto's van Halloween, ons realiserend hoe naïef en gelukkig we waren, zonder het te weten. Gek dat je nooit weet hoeveel je aankunt tot het erger wordt. En net wanneer je daaraan gewend raakt, gebeurt het weer. Maar op de een of andere manier weet je je zelfs door deze ervaring heen te slaan, want zo red je jezelf. Niet omdat je het verdient, of omdat je de ervaring nodig hebt om prioriteiten te stellen, maar omdat het is wat mensen doen in het leven. En door deze ervaring zullen we groeien, ontdekken wat de feestdagen inhouden en leren meer van elkaar te verwachten. Samen zullen we deze strijd gebruiken om sterker te worden als gezin en elkaar te steunen wanneer we instorten. Dat is wat een gezin doet en hoe we ons erdoorheen gaan slaan.

DAG
KEITH 25 BROOKE

23 december

Vandaag was een dag van hoop. Het was ook de dag van Elena's feestje, twee dagen na haar verjaardag. Na een hele nacht doorrijden, waren we blij om weer thuis te zijn. Aanvankelijk wilden we Elena's verjaardagspartijtje in de speelzaal van de plaatselijke gymclub vieren, zoals ongeveer ieder ander buitenwijkgezin dat doet, maar met het oog op haar conditie en haar wensen kozen we voor de cafetaria verderop in de straat om haar vriendjes en vriendinnetjes te ontvangen. Ik denk dat ze daar het meest van genoot. Dus in haar op één na mooiste jurk (sorry voor de teleurstelling, maar de mooiste jurk is toch echt voor Kerstmis) ging ze een ochtend met mama naar de kapsalon, waar ze haar nagels lieten glanzen en haar haar in de krul zetten.

En ook al twijfel ik eraan of er ooit iemand eerst naar een kapsalon is gegaan om daarna in zijn mooiste kleren naar een cafetaria te gaan, is dat waar Elena blij van werd en dat was het belangrijkst.

Bij aankomst ontdeed Elena zich van haar rolstoel omdat ze had besloten vandaag haar nieuwe beenbeugel uit te proberen. Wat heb je immers aan mooie kleren als je er de hele dag in moet zitten? Maar toen ze weigerde onze hand vast te houden om haar evenwicht te bewaren, begrepen we eindelijk wat haar beweegredenen waren en bleven we met uitgestoken handen aan haar zij staan voor het geval ze zou vallen. Dat deed ze niet.

Op de een of andere manier hadden de mensen van het restaurant de indruk gekregen dat we een stuk of vijftig gasten, of minder, hadden uitgenodigd, maar binnen een halfuur vulden we de feestzaal en confisqueerden we ook de rest van het restaurant. En tegen het einde waren er bijna tachtig mensen die Elena wilden zien op haar eerste trip naar huis. Familie, vrienden, leerkrachten van school, collega's (als ze 's ochtends met mama en mij mee naar het werk ging, beschouwen ze haar als de 'echte' baas), meer familie en zelfs mensen die we nog nooit hadden ontmoet, kwamen haar verjaardag met ons vieren. Zelfs haar vriendjes en vriendinnetjes van de kleuterschool waren er. De afgelopen week had ik haar over hen horen praten. Nu zag ik de blijdschap op haar gezicht toen ze ieder van hen omhelsde, wensend dat zij ook elke ochtend op het schoolplein kon staan, bevriezend terwijl ze wachtten op de bel, zo stel ik me dat voor in deze tijd van het jaar. Het was echt een dag om te onthouden, ook al aten ze niet meer dan hotdogs met kaas.

Vanavond huilde Brooke. Maar anders dan hiervoor kwam het niet door bezorgdheid of verdriet, maar doordat ze zag hoeveel mensen echt betrokken waren. Dit zijn de tranen waar we er meer van kunnen gebruiken om Elena haar strijd te kunnen laten winnen.

Wanneer je voor Elena zorgt, ben je op het heden gericht. Welke dosis steroïden is de juiste? Wat zijn de bijwerkingen van chemotherapie? Kan ze de beenbeugel aan in plaats van haar rolstoel te gebruiken? Deze vragen zorgen er stuk voor stuk voor dat je inspanningen erop gericht zijn om de ziekte stap voor stap klein te krijgen. Eerst stoor je je aan de eentonigheid van het schema, dat in schril contrast staat met een snelle, kant-en-klare oplossing. Daarna, wanneer je je realiseert wat de reikwijdte is van kinder-

kanker, wordt het spoedig een steun omdat je dagelijks verbetering ziet waardoor je gedwongen wordt te geloven dat Elena gaat winnen. Soms treedt die verbetering niet op en soms zie je een terugval, maar op de langere termijn zie je je dochter veranderen en zich ontwikkelen. Stukje bij beetje slijt de depressie. Maar de isolatie en de angst zullen er altijd zijn.

In Cincinnati word je dagelijks gedwongen om vrede te sluiten met de toekomst. Dat is waarschijnlijk het pijnlijkst van alles. Hier rijd je elke ochtend langs de school, je afvragend of je Elena in groep 3 zult helpen met hapjes voor Halloween, je afvragend of Gracie en zij de badkamer als tiener probleemloos met elkaar zullen delen, je voorstellend hoe je haar voor de eerste keer zult leren schakelen bij het autorijden. Hier liggen de vragen naar het onbekende die het zo moeilijk maken om door te gaan met je dagelijkse activiteiten. Mettertijd zullen ook die oplossen als ze beter wordt en we in Cincinnati dag voor dag zullen leren leven zoals we in Memphis doen. Misschien al in februari, wanneer ze terugkeert naar Cincinnati en we ons leven weer kunnen oppakken, maar niet op dezelfde manier als hiervoor.

De komende maand zal dit ons leven zijn. Van dag tot dag.

DAG
KEITH 27 BROOKE
25 december

Ons kerstcadeau voor dit jaar was Elena. Om half vier 's ochtends maakte ze ons wakker door onze slaapkamer in te lopen en te zeggen dat ze televisie wilde kijken. Haar stem was helder en niet nasaal, zoals die dat sinds Thanksgiving was geweest. En ook al waren we beiden diep in slaap geweest, Brooke en ik schoten direct vol verbazing ons bed uit. Ergens diep vanbinnen vroegen we ons af of het allemaal een boze droom was geweest en er uiteindelijk niets met onze dochter aan de hand was. Daarna drong de realiteit zich aan ons op toen ze uitlegde dat haar stem beter voelde en ze wat water had gedronken en dat dat goed was voor haar stem. Vervolgens voerden we om half vier 's ochtends een gesprek. Haar stem hield het slechts even vol, maar we negeerden onze bloeddoorlopen ogen en praatten door. Jammer dan maar dat het de eerste nacht was waarin we langer dan vier uur aan een stuk hadden kunnen slapen. Wat een heerlijk geluid!

Kerstmis bracht meer geschenken met zich mee, zoals dat ze bleef lopen, noten, fruit en pizza at en voor het eerst weer met Gracie meedeed met kietelen op de vloer van de woonkamer. Maar wat ik me vooral van deze Kerstmis zal herinneren, is dat ik haar aan het glimlachen kreeg.

Dat was niet gemakkelijk. Toen we haar meesleepten naar de kerk om daarna naar het diner bij mijn tante te gaan, weigerde ze ergens aan mee te doen en zat knorrig met haar hoofd in haar handen. Geen speelgoed, geen persoon, geen bezoek van de Kerstman kon haar stemming veranderen. En hoewel een bezoekje van Sally (de trillende chihuahua van mijn tante met zijn kraalogen, die vijfentwintig centimeter hoog is) een glimlach opriep, verdween die even snel toen de niet-aflatende hongerpijn voor de vierde keer in minder dan een uur opkwam. De zucht naar voedsel en de werking van steroïden!

Nee, het kwam vooral door de dingen die ze weigerde te doen en waar ze het vrolijkst van werd. Je moet weten dat Elena nooit iets uit vrije wil doet. Als je haar vraagt of ze wil waterskiën, weigert ze en zegt: 'Morgen misschien.' Vraag je haar uit haar eerste leesboek voor te lezen, dan zegt ze: 'Ik kan nu even niet.' Als je haar vraagt of ze zonder zijwieltjes wil proberen te fietsen, hoor je: 'Daar ben ik te jong voor.' Maar dan verschijnt Gracie ten tonele. Gracie doet alles, altijd en overal, of ze het nu kan of niet. 'Eerst doen, dan denken,' is Gracies motto. Haar andere motto is: 'Het gaat alweer,' wanneer ze zichzelf van de vloer opraapt nadat ze is gevallen. En hoewel ik ineenkrimp bij de gedachte aan Gracie als tiener, ben ik nu dolblij met haar houding.

Wanneer Elena zegt: 'Morgen misschien,' dan draai ik me gewoon om naar Gracie, die altijd ja zegt. Er gaat nog geen seconde voorbij of Elena verandert van gedachten en wordt competitief. Voor je het weet, is ze aan het waterskiën, fietst ze zonder zijwieltjes en leest ze hardop voor. Nu kán Gracie natuurlijk helemaal niet zonder zijwieltjes fietsen (evenwicht is niet haar sterkste punt), en nu kán Gracie nog niet lezen (al komt ze in de buurt). Maar als ik de bagagedrager van de fiets vasthoud, ziet het eruit alsof ze zelf fietst en als ik doe alsof Gracie de woorden in mijn oor fluistert, moet Elena er meteen een schepje bovenop doen. Soms denk ik dat Elena Gracie leert om voorzichtig te doen, terwijl Gracie Elena leert dapper te zijn. Het is een geweldige combinatie.

Nu was het autorijden. Jazeker, autorijden. We moesten ongeveer een halfuur wachten voor de dienst begon en het leek me een goed idee om Elena te leren autorijden. Ik heb immers nog maar tien jaar om het haar te leren, dus ik kan maar beter vast beginnen. Mama was het daar niet mee eens. 'Ben je gek geworden?' vroeg ze. Ik kan ook competitief zijn, dus haalde ik mijn kleine stunt toch uit. Nadat ik Elena had gevraagd en ze nee had gezegd, ging ik naar Gracie. Ik hoefde maar naar haar te kijken en ze zat al op mijn schoot, klaar om te gaan. De tien daaropvolgende minuten zat Kapitein Zigzag aan het stuur terwijl we van de ene rand van het parkeerterrein naar de andere reden en een paar keer bijna tegen een paaltje knalden. Ze genoot met volle teugen en zette mijn zonnebril op haar neus om het effect te vervolmaken.

Elena moest de volgende zijn. Zij werd tot Koningin van het Gras gedoopt toen we over het aangrenzende veldje en een paar stoepranden reden. Ook zij genoot. Het kwartiertje dat volgde, gilde, lachte en giechelde ze. Ik denk dat we het nog eens zullen moeten doen. Morgen misschien.

Voor de meeste kinderen zijn de cadeaus die ze krijgen het belangrijkste aan Kerstmis. Voor Elena was deze Kerstmis anders. En ook al maakte ze de pakjes open, de meeste bleven bij de boom liggen nadat ze naar het volgende pakje was gegaan. In plaats daarvan had Elena er meer plezier in om mij mijn cadeau te geven. Zij en mama waren blijkbaar samen gaan shoppen en hadden besloten dat ik een set nodig had om dieren van ballonnen te vormen. De twee uur die erop volgden, stond Kerstmis stil terwijl Elena en ik lachend naast elkaar zaten. Ik ben nog niet klaar voor het restaurantcircuit, maar ik heb een aardig assortiment van dieren om uit te kiezen. Ik kan slangen, giraffen met korte poten, honden met lange nekken, paarden met lange nekken en korte benen en zelfs vlinders zonder vleugels maken die lijken op honden met lange nekken. Niet slecht, al zeg

ik het zelf. En ik heb maar twee ballonnen nodig om een dier te maken dat niet knalt. Dat is pas vaardigheid. Elena vindt dat ik morgen ballonnen moet maken voor de dokters in het ziekenhuis. Ik beloof het te doen als zij de bestraling zonder verdoving ondergaat. Ze weet niet dat ik het al zou doen voor een glimlach. Wat een deal.

DAG
KEITH 28 BROOKE
26 december

Ze wilde in elk geval niet terug naar het ziekenhuis. En ik ook niet na een nacht doorrijden om weer in Memphis te komen. Het bleek al onmogelijk om haar om vijf uur 's ochtends uit bed te krijgen, want ze klampte zich vast aan haar hoofdkussen alsof ze daar elk laatste beetje slaap uit wilde persen. En dit was hetzelfde meisje dat in het weekend 's ochtends om drie uur naast ons bed had gestaan. Het medicijnritueel dat in het weekend nauwelijks langer dan tien minuten duurde, duurde nu een halfuur omdat ze de pudding met de pil erin eerst weigerde en de pil vervolgens uitspuugde in plaats van hem door te slikken.

De bestraling volgde later die dag. Ook dat was moeilijk, omdat ik het werk wilde voortzetten dat Brooke de vorige week was begonnen door haar stil te laten liggen tijdens de bestraling terwijl ze bij bewustzijn was. Tot nu toe was het nodig geweest haar te verdoven zodat ze tijdens de behandeling stil zou liggen. Dat hield in dat ze het 'witte medicijn' moest nemen dat haar niet alleen verdoofde maar waar ze ook erg misselijk van werd. De eerste ervaring met die misselijkheid hadden we toen we nog maar een paar minuten in de IMAX-bioscoop van het plaatselijke museum van natuurgeschiedenis zaten, waar ik Elena mee naartoe had genomen om haar op te vrolijken. Ze begon te klagen over buikpijn en omdat ik de toiletten niet zo gauw zag, gebruikte ik het enige wat ik had: mijn handen. Het kwam erop neer dat ook mijn shirt, haar shirt en broek werden bevuild tot we eindelijk een toilet vonden en probeerden om onszelf schoon te krijgen.

Daar stond ze, in haar ondergoed, in het herentoilet, terwijl ik haar de enige andere kleren aantrok die ik bij me had (er lag nog een oude luiertas uit Gracies babytijd in mijn auto met daarin de zomerkleertjes van een tweejarige), en ze stelde me *de* vraag. 'Waarom moet dit met mij gebeuren?'

Zonder goed over die vraag na te denken, antwoordde ik dat veel kinderen misselijk worden in de bioscoop, en zeker de kinderen die worden bestraald. Ze nam geen genoegen met dit antwoord, raakte mijn hoofd aan en vroeg weer: 'Nee pap, waarom heb ík die bult in mijn hoofd en mijn vriendjes niet?'

Ik stelde me diezelfde vraag al een maand lang. En het antwoord deugt nooit, want het is iets wat geen enkel kind zou mogen overkomen. Het simpelweg af te doen als 'toeval' is alsof je bedoelt dat het in orde is als het andermans kind was geweest. Als je er het stempel een 'boodschap van God' op plakt, zaai je twijfel in het geloof als jij de enige bent die je kind aan die 'boodschap' moet verliezen. Je zult nooit een antwoord hebben, omdat er geen goed antwoord is. Het gebeurt, en je leert ermee om te gaan, ertegen te vechten of het te accepteren; het zijn allemaal zeer uiteenlopende reacties van verschillende mensen.

Nu zou ik je dolgraag vertellen dat ik een schattig antwoord heb dat alles met elkaar in verband brengt. En met dit dagboek voor ogen zou ik op zijn minst iets van betekenis willen vinden, maar het is me niet gelukt. De waarheid is dat ik mijn dochter aankeek, mijn schouders ophaalde, zei: 'Het komt wel goed,' en haar omhelsde. Dat was het. Op een dag hoop ik een antwoord te hebben op die vraag en daarmee haar leven, het mijne, en dat van duizenden anderen, te verbeteren, maar nu werd ik gedwongen om nederig te zijn en haar de geruststelling te geven die ze zo hard nodig had. Dat is de opdracht van een vader: geruststellen en beschermen.

DAG

KEITH **29** BROOKE

27 december

Ze kan haar tong rollen! Ik weet dat dat voor de meeste mensen niet zo bijzonder is, maar voor mij is het alles. Een van de eerste dingen die ze namelijk kwijtraakte toen de tumor de controle overnam, was het vermogen om haar tong te rollen. Daarna verloor ze haar stem, haar rechterhand, haar rechterbeen, haar perifere blikveld en het vermogen om te slikken. Dat ze haar tong terug heeft, is dus iets groots. Natuurlijk is haar been nog een beetje traag, maar voor mij betekent dit dat we alles terug krijgen en dat Elena beter wordt. Hopelijk blijft het allemaal zo. Ik weet dat ik haar vanaf nu elke dag eerst zal vragen om met haar tong te rollen. Wie heeft er nu behoefte aan MRI-scans en CT-apparatuur wanneer je met je tong kunt rollen?

DAG

KEITH **31** BROOKE

29 december

Overal om ons heen zie ik voorbeelden van wilskracht, liefde en toewijding aan het leven. Het zijn kinderen van twaalf jaar en ouder, kinderen die hier al eerder zijn geweest. Bij hen is de tumor teruggekomen, misschien wel twee, drie of zelfs vier keer. Hun wijsheid en standvastigheid zijn elke keer en iedere dag opnieuw een drijfveer voor ons.

Vandaag zat ik in de bus met Elena op de terugweg naar het huis. Een stukje verderop zaten een vader en zijn dochter. Zij zijn ook helden. Hij zat aan het gangpad, zij aan het raam; net zoals Elena en ik achter hen zaten. Ze was ongeveer vijf jaar ouder dan Elena en was hier eerder geweest. Haar vader zat dicht bij haar, zoekend naar gespreksstof om haar af te leiden van de misselijkheid die ze ongetwijfeld voelde. Tijdens de vijf minuten durende rit wisselden ze nauwelijks een woord, maar ik wist dat ze het ook niet nodig hadden om over ditjes en datjes te praten. Toen we aankwamen, stond hij op om haar overeind te helpen maar ze stapte resoluut naar voren om op eigen kracht uit de bus te stappen. Ik keek naar Elena en zag voor me hoe ze over vijf jaar zou zijn. Ik vroeg me af of wij ook zouden terugkomen, of zouden we een wonder meemaken en nooit terugkomen? Zou zij ook een held zijn? En hoewel ik niet zou willen meemaken dat de tumor terugkeert, realiseer ik me ook dat het wonder in haar geval gewoon kan zijn dat ze die vijf jaar überhaupt haalt.

Vandaag gaat het goed met Elena en ik hoop dat ze de komende maanden vooruit blijft gaan. Natuurlijk zullen er complicaties en bijwerkingen zijn, maar ongeacht de strijd bid ik dat het ons zal lukken. Ik weet dat ze een held zal zijn. Dat is ze namelijk al.

DAG
KEITH **32** BROOKE
30 december

Ik kijk uit het raam en heb gedachten die ik niet zou moeten hebben. Ik kijk weer naar mijn dochter die in bed ligt en vergelijk wat ik zie. Buiten het ziekenhuis zie ik drugdeals, prostitutie en verloren kansen. Binnen zie ik een klein meisje voor haar leven vechten. Buiten hebben ze alle tijd van de wereld, maar binnen zou Elena's leven wel eens beperkt kunnen zijn tot dagen en uren. Het is niet eerlijk. Misschien moet ik ook niet verwachten dat het dat is.

Het gaat vierentwintig uur per dag door. Op straat, buiten de ziekenhuismuren, dringt de vergelijking zich op. Ik ben gefrustreerd en boos.

Maar dat heeft natuurlijk geen zin. Is haar leven dan niet kostbaarder? Zoals ik al zei, het zijn vragen die ik niet zou moeten stellen.

We verspillen allemaal onze tijd en ons leven terwijl we zoveel meer willen. Wat zou je allemaal niet doen om nog een extra dag te krijgen als er opeens een einde aan je leven kwam? Het verlies van een kind vertegenwoordigt alle lessen die je zou moeten leren en alle momenten die je zou moeten koesteren. Maar in plaats daarvan volgen we de dwazen, negeren we de klok en hangen we het slachtoffer uit wanneer de consequenties zichtbaar worden. Toch krijgen deze kinderen niet zo'n waarschuwing. Elena was nooit dwaas, negeerde de klok nooit en nu vecht ze voor haar leven. Ze wordt een les voor ons allen. Misschien is mijn dochter wel de prijs die ik moet betalen.

Ik zal het nooit begrijpen en dat is de ironie ervan. De ultieme les is er een waar ik het nooit mee eens zal zijn of waar ik nooit inspiratie in zal hopen te vinden. Ik vecht niet om andere kinderen te helpen vanwege Elena's les; ik vecht om andere kinderen te helpen omdat ik wil dat de les stopt. Ik houd van mijn dochter en geen enkele les is haar leven waard. Ik zal doorgaan ook al verliest ze het gevecht.

Ik zal me deze nachten in het ziekenhuis altijd herinneren, terwijl zij zacht slaapt en ik naast haar zit, turend naar de duisternis buiten het raam. Het is niet eerlijk. Niets mag het leven van een kind wegnemen. Het is onzinnig, maar natuurlijk: zo was het ook bedoeld.

DAG

KEITH 34 BROOKE

1 januari

De dag begon in een roes van activiteit. Na een acht uur durende rit terug naar huis sliep iedereen vandaag uit. Daarna kwamen de meisjes onze slaapkamer in en sliepen we met zijn allen nog even. Nog maar een half-jaar geleden kreunden we alleen maar als de meisjes ons in het weekend vroeg wakker maakten en stuurden we ze meteen naar boven om televisie te kijken zodat wij nog een paar minuten konden doorslapen. Nu vinden we het niet erg meer om gewekt te worden en knuffelen we zelfs nog langer met ze. Jammer dat we maar een dag thuis zijn en dan weer terug moeten naar Memphis.

3 januari

Ik werd vandaag twee keer aangesproken door andere moeders die zeiden dat Elena zo geweldig vooruit was gegaan. Ik word verscheurd. Enerzijds glimlach ik en vind ik het echt een wonder dat deze veranderingen zich in twee weken hebben voltrokken. Anderzijds durf ik het herstel niet zomaar voor lief te nemen. Ik merk dat ik steeds vergeet dat het tijdelijk kan zijn. Ik glijd terug in oude gewoontes zoals werken wanneer we thuiskomen in plaats van met haar te spelen, de krant te lezen in plaats van elk laatste stukje conversatie uit haar te krijgen, denkend aan alles wat ik thuis nog niet gedaan heb in plaats van aan de dingen die ik niet met Elena heb gedaan.

Zij die mij het best kennen, weten dat ik niet van verrassingen houd. Ik ben iemand die eerst het laatste hoofdstuk van een boek leest. Ik moet weten wat er gaat gebeuren zodat ik elke stap kan plannen om ergens te komen. Ik merk dat ik last heb van een vreemde depressie. Ik weet wat de toekomst in petto heeft (althans de meest waarschijnlijke) maar ik ben verlamd. Ik zit elke dag tegenover dat kleine meisje, terwijl ik grappen maak en haar aftreksommen leer maken, en ik heb een afschuwelijke gedachte. Deze behandelingen hebben geweldige dingen gedaan en alle problemen opgelost die de tumor had veroorzaakt, maar hebben ze haar misschien te gewoon gemaakt? Als ik naar Elena kijk, kost het me erg veel moeite om me voor te stellen dat ze weer helemaal achteruit zou kunnen gaan. De meeste mensen zouden dat goed vinden en zeggen dat positief denken het beste is wat je nu kunt doen. Ik ben bang dat we te ontspannen worden en dat die stomme tumor ons alsnog gaat inhalen. Moet je leven met de wetenschap dat hij weer gaat groeien en probeer je een heel leven in één jaar te proppen? Of moet je er positief tegenaan kijken en de status-quo handhaven?

Afgezien van haar steeds dikker wordende wangen en gezonde eetlust is Elena weer de oude. Het moet vreemd voor haar zijn om zich weer normaal te voelen en toch in een ziekenhuis te liggen. Het was ook zo goed voor haar om thuis te zijn met de feestdagen. Ze kan nu visualiseren dat ze beter wordt, naar school gaat, met haar zusje speelt en het allerbelangrijkst, dat ze het Helpende Handje van de dag is op de kleuterschool.

DAG

KEITH **42** BROOKE

9 januari

Vanavond wil Elena in het dagboek schrijven. Daar gaan we, ik help haar met de spelling:

Hallo iedereen!
Ik kan niet wachten tot ik naar huis mag.
Mijn lievelingsdier is een kolibrie maar ik heb er nog geen voederbakje voor.
Ik draag graag rokken en glimmende haarbanden.
Ik lees graag in mijn dierenboek met alle dieren erin.
Ik kijk thuis graag tekenfilms als ik terugkom uit het ziekenhuis. Mijn favoriete is Go, Diego, Go! omdat het over redden gaat en Diego echt van dieren houdt net zoals ik.
Het liefste wat ik met mijn Gracie doe is buitenspelen.
Mijn lievelingskleur is roze.

Het leukste op school vind ik lunchen en het Helpende Handje zijn.
Mijn lievelingsseizoen is de zomer omdat je dan naar het strand kunt.
Voetbal is mijn lievelingssport.
Als ik thuis ben, wil ik als eerste naar het strand gaan.
Het enige wat ik zou wensen om te doen is met vissen zwemmen.
Het minst leuke van het ziekenhuis is de naald in mijn port. *
Ik was heel blij toen iedereen op mijn verjaardag voor me zong.

DAG
KEITH **45** BROOKE
12 januari

'Je kent me niet maar…' is de manier waarop de meeste kaarten aan
Elena beginnen. En wat begon als een onschuldig dagboek voor Gracie
over haar zus is nu veel meer geworden. Ons dagboek begon als een aan
denken toen we net te horen hadden gekregen dat ze ziek was, maar nu is
het de drijvende kracht geworden voor haar herstel. Er komen dagelijks
meer kaarten, brieven en e-mails binnen dan we haar ooit zouden kunnen voorlezen. Elke dag nemen we een stapel kaarten mee voor in de
wachtkamer, waar we de tijd doden door haar de berichten van vrienden
en familie voor te lezen. Het maakt haar aan het glimlachen en het geeft
ons moed. En nu zie ik voor de eerste keer weer de zegen van Elena's
vrienden.

De kaarten komen overal vandaan: Ohio, Kentucky, Indiana, Iowa,
Pennsylvania, Florida, Tennessee, Georgia, Alabama, New York, Californië, Washington, Maryland, Virginia, Michigan, Texas, Illinois, Ari-
zona, Arkansas en nog allerlei andere staten waar ik nu even niet op kan
komen. Elke kaart brengt beterschapswensen, felicitaties en kerstgroeten

---

* Een *Port-a-Cath* is een kleine injectiekamer die onder de huid wordt aangebracht, waardoor vloeistoffen en medicijnen rechtstreeks in een ader kunnen worden gespoten.

over. Bij sommige zitten foto's, bij andere kindertekeningen en bij weer andere kleine cadeaus, maar ze leveren allemaal een glimlach op.

De kaarten zitten op haar deur, haar prikbord en hangen aan het plafond van haar slaapkamer. Elke kaart heeft een boodschap, een boodschap van hoop. Hoop voor haar gezondheid, hoop voor haar geluk, hoop voor haar toekomst. Wat ons betreft slepen die kaarten ons er elke dag doorheen.

DAG

KEITH **47** BROOKE

14 januari

Ben je je er eigenlijk wel bewust van wanneer je een wonder meemaakt? Ik denk dat ik er gewoon meer van verwachtte; misschien een bliksemschicht, een donderknal of een bezoek van een engel. Maar wie weet staat die engel nu wel naast me.

Elena is er in korte tijd erg op vooruitgegaan. Natuurlijk heeft ze ook zoveel in heel korte tijd verloren. Maar nu is ze terug, glimlachend en wel. En terwijl ik haar van schommel naar schommel zie rennen in haar Pippi-Langkousmaillot word ik me helemaal opnieuw bewust van wat we ooit hadden.

Vandaag konden we ons ontspannen. Helaas was het te kort. Omdat we niet in het ziekenhuis wilden zijn, besloten we mijn zus in Alabama op te zoeken. Mama en Gracie vertrokken na een picknick in het park, en oma en opa ook. Daarna gingen we terug naar het huis van tante Jackie om uit te rusten en een paar uur in de mini-jeep rondjes te rijden in de achtertuin (ze is dol op dat ding). Maar toen ze na de vierde keer accu opladen maar twintig minuten kon rijden, realiseerde ze zich dat het tijd was om iets met haar nichtjes te gaan doen.

Er stond weinig op het programma, maar de herinneringen zijn krachtig. En op de een of andere manier, als ik het maar hard genoeg probeer, komt er nooit een einde aan deze dag. Hoe weet je het als er zich een wonder voltrekt? Je weet het niet, maar als ouder zou het me intense vrede geven om te weten dat ik haar haar einddiploma zie halen, haar zie trouwen, haar kinderen zie krijgen. Nu concentreer ik me echter op de vele wonderen die elke dag gebeuren. Zestig wonderen per minuut, 3.600 per uur, 86.400 per dag; een wonder per seconde.

DAG

KEITH **48** BROOKE

15 januari

'Eindelijk vrij… eindelijk vrij!' Ik denk dat Elena iets te vaak naar CNN op Martin Luther King Day heeft gekeken. Gezien haar vooruitgang is deze tekst zeker gepast, maar ik had nooit gedacht dat ik hem haar zou horen zingen, rijdend in de mini-jeep in tante Jackies achtertuin. Jammer dat we alles weer achter ons moesten laten voor de terugreis naar Memphis.

Eindelijk vrij, dat klopt. Over tien dagen verlaten we het ziekenhuis en gaan we naar huis. Elena is nu de eerbiedwaardige ouderling in het pension. Ze kent de weg, ze kent haar medepatiënten en ze kent het personeel. Terug in het huis deelde ze me mee dat we eerst zouden gaan avondeten (haar keuze was gevallen op de kaaspizza in de vriezer), daarna de post doornemen en vervolgens de avond eindigen op onze kamer met een portie ijs en een Muppetfilm. En hoewel ze nauwelijks over de balie kon heenkijken toen ze naar de post vroeg en ze de code verkeerd had toen we door de voordeur naar binnen wilden, had ze duidelijk de touwtjes in handen. Ze koos de maaltijd, hielp bij de bereiding ervan en dekte de tafel. Ze zal wel het gevoel hebben gehad dat het voor mij te veel zou zijn of dat het haar hielp om greep op de situatie te krijgen. Misschien een beetje van beide. Na het eten en op weg naar de kamer vertelde ze me dat het ijs voor haar was en dat ik terug kon naar de keuken om de Oreokoekjes uit de voorraadkast te halen. Want, zo beweerde ze, dat deed mama ook elke avond. Aha!! Al dat gepraat dat Elena zo braaf was; nu begreep ik hoe mama die twee weken in het huis doorkwam.

Elena is de afgelopen weken geweldig vooruitgegaan, maar ze loopt nog moeilijk en haar evenwicht is nog niet in orde. Dat merkte ik toen we bij de trap kwamen; onze kamer lag op de tweede verdieping. Ze trok aan mijn trui, want ze had mijn hulp nodig om de trap op te komen. Ik had natuurlijk met de lift kunnen gaan, maar ik wilde de kans niet laten lopen om haar te dragen en gratis kusjes te krijgen. Je moet weten dat elke drie treden gelijkstaan aan een kus van Elena, anders ga ik niet verder. Het is papa's brandstof. En op die manier krijg ik met vierentwintig treden in totaal ten minste acht kusjes per keer. Uiteraard zal ik vals spelen om er negen te krijgen. Ik denk dat ze me doorheeft, maar ze werkt wel mee. Omdat ze zo onafhankelijk aan het worden is, moet ik elke kans grijpen die ik kan krijgen. Wie wil er nu Oreokoekjes als hij kusjes kan krijgen?

DAG
KEITH **49** BROOKE
16 januari

Ik herinner me dat Elena het eng vond om naar school te gaan. Eerst vond ze het eng om naar de opvang te gaan. Daarna was ze bang voor de eerste dag op de kleuterschool. Ze sloeg haar armpjes om mama's benen en plengde de gebruikelijke tranen. Op dag twee vielen er nog meer tranen. Misschien wordt het nog enger als je weet wat je kunt verwachten. Van dag drie tot dag zeven vloeiden er steeds minder tranen en werd er voorzichtig hallo gezegd tegen leerkrachten en vriendjes en vriendinnetjes en handjes vastgehouden tot iedereen binnen was. Vanaf dag acht ging het veel beter. Ze hield onze hand nog steeds zo lang mogelijk vast en er waren op zijn minst vijf kussen en omhelzingen voor nodig voordat we weg mochten, maar terugkijkend wilde ik dat ik er zes of meer had gegeven.

Ja, wij waren altijd de laatste ouders in het klaslokaal, degenen die met onze kinderen naar de deur liepen terwijl anderen de warme beschutting van de auto zochten wanneer de koude temperatuur zich wreekte. Na het weekend en periodes van afwezigheid was het meestal wat drukker, maar wij waren een vast onderdeel van het groepje. Ik weet nog steeds niet of dat kwam doordat ze onze steun zo hard nodig had of doordat we haar niet los konden laten, maar het doet er nu niet toe. Vanaf nu zal ik er elke ochtend staan tot ze gaat studeren, en misschien nog langer. Ja, dat is beschermend, maar bedenk eens hoe heerlijk het voor haar moet zijn als haar vader anderhalve meter achter haar loopt wanneer ze naar de middelbare school gaat. Dan kan ze over haar schouder kijken, mij aan haar vrienden voorstellen en me bedanken voor mijn gezelschap. Nou vooruit... misschien toch maar beter van niet.

Elena onderscheidde zich niet door hoe ze de school binnenkwam, maar door hoe ze wegging. De meeste kinderen renden schreeuwend de deur uit, opgelucht om vrij te zijn, maar Elena zei vanaf het moment dat ze naar buiten liep dat ze school zo miste. Ze vertelde me over het knutselen, de vertelstoel, lunch, en over haar plannen voor de volgende dag. In het weekend speelde ze zelfs juf, compleet met aanwijsstok en schoolbord. Elena was voor die rol geboren. Arme Gracie, zij heeft de afgelopen vier jaar alleen maar haar vinger mogen opsteken.

Toen Elena naar het ziekenhuis ging en werd onderworpen aan een ogenschijnlijk eindeloze stroom onderzoeken en medicijnen, viel het goed te begrijpen dat ze daar depressief van werd. Iedereen behandelde het lichaam en niemand behandelde de geest. Geen creativiteit, er werd niets geleerd, er was geen vooruitgang. Terwijl haar lichaam herstelde, kwijnde haar geest weg. Ze boden haar sessies met een psycholoog, filmavondjes en zelfs cadeaus aan, maar die hadden geen enkel effect. Dus pas toen we het onderwijscentrum in het ziekenhuis ontdekten, hadden we de oplossing.

Ik ben erachter gekomen dat kinderen helemaal niet zo ingewikkeld zijn. We denken dat ze begrip en troost nodig hebben, terwijl ze alleen maar uitdaging en een beetje waarheid willen. Een maand geleden hunkerde Elena naar beide. Ze wist dat ze iets heel ergs had; waarom kreeg ze anders al die aandacht? Dus nadat we de gesprekken met de artsen twee maanden lang achter gesloten deuren hadden gevoerd, wilde ze erbij blijven. En op een bepaalde manier werden we daardoor gedwongen ons te verzoenen met zowel de positieve als de negatieve kanten van de ziekte. Zij hoefde alleen maar de kans te krijgen om iets te leren om de leiding te nemen. School was het antwoord, en vandaag kwamen we erachter dat er in de kelder van het ziekenhuis één zit.

Daarom is haar houding beter dan ooit. Ze is niet alleen blij met zichzelf, maar heeft waarschijnlijk ook nog meer zelfvertrouwen dan daarvoor. En terwijl ze zich bij ieder artsenbezoek nog steeds aan mijn benen vastklampt, vergeet ze nooit wanneer het tijd is om naar school te gaan. Het is de eerste vraag die ze stelt wanneer ik het schema voor de volgende dag krijg en ik verbaas me over haar begrip van de tijd wanneer ze me enkele minuten van tevoren eraan herinnert dat ze bijna een 'schoolafspraak' heeft. Daarna rent ze zonder iets te vragen naar de lift en is ze op weg naar de les. Met haar grote rugtas om passeert ze verpleegkundigen en patiënten, met mij in haar kielzog. En o wee als ik me laat afleiden, want ze zal niet op me wachten.

School is een doel en een routine. Dat is waar ze van geniet en wat ze nodig heeft om weer een kind te zijn. Het is veel meer dan alleen het leren.

DAG
KEITH 50 BROOKE
17 januari

Gefeliciteerd! Je hebt kanker.

Ik kijk om me heen in het ziekenhuis en zie de tekenen van vrienden en familie die het nieuws proberen te verwerken. Het kind dat gisteren gezond was, is vandaag terminaal ziek. En we doen alles wat we kunnen om te helpen. Helaas zijn er weinig mogelijkheden en is er nog minder wat we kunnen doen. In Elena's geval misschien wel niets. Dus geven we haar speelgoed, kopen we kleren en verwennen we haar.

In het ziekenhuis is het al niet anders. En het speelgoed ligt ongeopend in de hoek te wachten om vervangen te worden door de goed bedoelde cadeaus van de volgende bezoeker. Elena's kast zit vol met nieuwe kleren, leuke hoedjes en de prachtigste verzameling maillots die haar oma kon kopen. Toch zullen de labels aan de meeste kledingstukken blijven zitten. Er zal nooit genoeg tijd zijn om alles te dragen of overal mee te spelen. Zelfs Elena weet dat en ze is ermee opgehouden alle cadeaus open te maken.

Niet dat ze het gebaar niet waardeert. Ze glimlacht en deelt knuffels uit. Ze wil alleen meer; ze wil normaal zijn. Ze wil gezond zijn. Maar dat is het enige cadeau dat niet kan worden ingepakt.

We doen ons best om het te begrijpen, maar we begrijpen het niet en zullen dat ook nooit doen. Ze vragen haar wat ze wil doen als 'wensreis'. Ze haalt haar schouders op en geeft geen antwoord. Ik vertel de vrijwilligster dat ze gezond wil zijn. Elena spitst hoopvol haar oren. Maar nu haalt de vrijwilligster haar schouders op. Daarop heeft ze geen antwoord. Dus nemen we de folder aan en gaan terug naar de kamer om uit te rusten en ons voor te bereiden op de volgende dag.

Genezing ligt niet bij het speelgoed op de plank, en er zit ook geen prijskaartje aan. En ook al hebben we al het speelgoed dat een klein meisje zich maar kan wensen, aan vertrouwen hebben we een groot gebrek. Dus doen we wat we kunnen, verwennen we ze, behandelen we ze als prinsesjes en kopen we alles wat ze ooit hebben willen krijgen. En op een bepaalde manier is het alsof je een prijs krijgt voor het hebben van kanker. Opeens zijn we zorgzaam, liefdevol en opeens kopen we de wereld voor hen. Maar het is te laat. Ze wil alleen maar normaal zijn.

DAG

KEITH **51** BROOKE

18 januari

In het ziekenhuispension begin je als onbekende, maar daarna word je een grote familie. Door de gemeenschappelijke keukens, gezinskamers en supportprogramma's deel je al snel ervaringen, herinneringen en zorgen met de vijftig andere gezinnen. Toen Elena en ik de eerste keer aankwamen, waren we vreemden, een week eerder in het huis aangekomen dan de rest van de gezinnen in het ziekenhuis. Terwijl wij neerstreken, waren de meeste andere gezinnen aan het vertrekken. Maar daarna begon onze generatie te arriveren en kregen we een voor een hun verhalen te horen.

Vijf weken later verandert alles. Omdat de meeste gezinnen aan het einde van hun zes weken durende bestralingsprotocol zijn beland, begint iedereen zich voor te bereiden op de terugreis naar huis. Het eerste gezin vertrekt morgen. Wij gaan volgende week donderdag. Zes andere gezinnen zijn begonnen met inpakken en bereiden zich voor op school. Maar wanneer wij het einde van de bestraling naderen, voelen we ons door de uitkomst en door de therapie ver van alles en iedereen verwijderd.

Er lijken twee soorten gezinnen in onze groep te zijn. Ten eerste zijn er die, die nog maanden en misschien wel jaren van chemotherapie en operaties voor de boeg hebben. Deze gezinnen hebben twee weken tot een maand vrij om naar huis te gaan, maar daarna keren ze terug voor nog een dosis heftige chemotherapie en weken in het ziekenhuis. En hoewel zij het moeilijkste pad voor zich hebben liggen, is hun prognose relatief goed. Dan heb je de gezinnen die hier alleen voor de bestraling of een combinatie van bestraling en chemotherapie zijn. Zij gaan voorgoed naar huis, met uitzondering van een maandelijks controlebezoek. In sommige van die gevallen is de prognose nog steeds bijna 85 procent kans op overleving. Ik benijd beide groepen gezinnen. Ook wij gaan na onze zes weken naar huis en zullen terugkomen voor maandelijkse controles. En ook al ben ik dolblij dat ik mijn dochter mee naar huis mag nemen, ik zou graag weken, maanden en zelfs jaren in het ziekenhuis willen doorbrengen als de kans op overleving meer dan 10 procent zou zijn. Op een bepaalde manier vormen wij onze eigen groep.

Geluk is in de plaats van wanhoop gekomen. Dezelfde ouders die elke avond om twee uur 's nachts door de gang liepen te ijsberen omdat ze niet konden slapen, hoe moe ze ook waren, doen nu een wedstrijd wie er als eerste naar huis gaat. Tijdens het avondeten gaan de gesprekken over school, basketbal, werk en reizen. Weg is het eindeloze googelen naar kanker, de bodemloze kopjes koffie en de pyjamabroeken. Toch voel ik me niet anders. Vandaag is gewoon vandaag en morgen is te ver weg. Hoop is de eeuwige belofte.

DAG
KEITH **52** BROOKE

19 januari

Therapie voor de geest is even belangrijk als therapie voor het lichaam. Vandaag concentreerden we ons op de geest en het ziekenhuis is geen

goede plek om daar mee te beginnen. Dus maakten we na de bestraling een ritje in de auto, nu naar het grootste indoorcomplex dat we konden vinden: het Oprylandhotel. Ik had namelijk mijn buik vol van de musea, de winkelcentra en passages, en om je de waarheid te vertellen kon ik ook wel wat therapie voor de geest gebruiken. Als je het al niet uit dit dagboek hebt gehaald, mijn gedachten zijn de laatste tijd niet bepaald optimistisch.

Het Oprylandhotel is duidelijk geen plaats voor jonge kinderen. Er zijn geen leuke attracties, stripfiguren of waterglijbanen, maar voor Elena was het perfect. Ze is sowieso al nooit zo'n kind geweest. Als zij de keuze kreeg tussen een achtbaan en een bibliotheek, zou ze het laatste kiezen. Voor haar (en voor ons) was het Opryland hemels. Zodra ze de kamer binnen-kwam, rende ze naar het balkon, opende de deuren en verklaarde: 'Pap, kom eens naar de jungle kijken!' Daarna moest ze oma, mama en Allyson bellen om hen te vertellen hoe het uitzicht was. En dat was nog niet alles, ze vertelde ook aan iedereen die maar wilde luisteren dat dit de 'mooiste plek' was waar ze ooit was geweest.

De volgende twee uur zaten we alleen maar op het balkon, dronken exotisch water uit de badkamerkraan en brachten we toast uit op het uit-zicht (ik ben mijn familie eeuwig dankbaar voor het 'toastgen'). Toen we hoorden dat mama in Louisville een verkeerde afslag had genomen en pas over twee uur zou aankomen, besloten we een korte wandeling te maken voor zolang Elena het zou volhouden. Anderhalf uur en bijna tien kilo-meter later gaf ik me gewonnen. Ze blijkt veel meer lichaamsbeweging in haar therapiesessies te hebben gekregen dan ik door van de kamer naar de keuken en weer terug te lopen. De wandeling eindigde met een wedstrijdje over de 'junglepaden' van het hotel, waar Elena me in het zand deed bijten. Het was voor het eerst dat ze echt rende en genoeg vertrouwen had om niet alleen snel te lopen. Evenwicht was telkens onze laatste hindernis, en die lijken we nu ook te gaan nemen. Nog een reden om feest te vieren.

Toen het personeel van het hotel Elena's verhaal hoorde, besloten ze het feest mee te vieren. Het kwam erop neer dat zij een prinses was en wij haar aanbidders. Wat een manier om de dag te eindigen en wat een manier om Elena's terugkeer naar haar kindertijd te vieren. Proost!

20 januari

De prinses heeft weer haar koninklijke behandeling ontvangen in het Oprylandhotel. De afdeling housekeeping lijkt haar wel geadopteerd te hebben, want ze geven haar cadeaus, brengen haar ontbijt op bed en nu op maat gemaakte Oprylandbadjassen. Dat was geweldig, vooral gezien het feit dat Elena en Gracie uit hun pyjama's zijn gegroeid. Het ziet er echt niet uit wanneer ze op de veranda ontbijten met buikjes die onder de shirtjes uitkomen en broekspijpen tot hun knieën. Dankzij de badjassen zagen we er tenminste uit alsof we hier thuis waren. En daaronder hadden ze natuurlijk ook nog hun pyjama aan. In haar haast om weg te komen is Brooke de hare vergeten, zodat ze de nacht in een spijkerbroek en een T-shirt heeft doorgebracht. Gelukkig hebben ze haar ook een badjas gegeven.

Voor een dag vergaten we haar toestand en probeerden we een gezin te zijn. Natuurlijk lukte dat niet. Gracie wilde aandacht, Elena kreeg ruzie met Gracie, en Brooke en ik waren vergeten hoe het was om er een andere ouder bij te hebben. Brooke zegt dat we opnieuw moeten leren een gezin te zijn. Ik weet dat ze gelijk heeft. De afgelopen twee maanden hebben we in verschillende steden gewoond, ieder met een kind dat niet wilde gehoorzamen of een kind dat we niet wilden laten gehoorzamen. Het resultaat was dat we tijdens de lunch achter Gracie en Elena aan rennend een gesprek met elkaar probeerden te voeren. Dit wordt vast weer normaal als we volgend weekend teruggaan naar huis, waar we eindelijk met zijn vieren ons leven weer kunnen oppakken. Ik vrees alleen dat het nog chaotischer wordt met al die bezoekjes van familie en vrienden. En hoewel we alle steun hard nodig hebben, moeten we ook onze eigen weg vinden. Ook al hebben we drie dagen samen doorgebracht, Brooke en ik hebben nog niet langer dan vijf minuten ononderbroken met elkaar kunnen praten. Het zal fijn zijn om haar volgend weekend weer te zien als de situatie dat toelaat.

21 januari

Gisteren gingen we naar een winkel voor avontuurlijke buitensporten. We zagen kajaks, fietsen, ski's en skates. Normaal zou dit een droomwinkel voor ons zijn, maar onder de huidige omstandigheden moest ik me eerder overgeven aan zelfreflectie dan aan dagdromen. Toen ik hand in hand met Elena door die winkel liep, realiseerde ik me namelijk hoeveel er was wat we niet deden. Elena en ik spraken over kajakken. Brooke en ik hebben altijd met de meisjes willen kajakken en we droomden ervan tweepersoonskajaks te kopen en met de meisjes over rivieren en meren te varen. Nu realiseer ik me dat die zomer misschien wel niet meer snel genoeg komt. We keken naar de fietsen en ik dacht aan de onze, die stof stonden te vangen in de kelder, naast de aanhanger die we vorig jaar voor de meisjes hebben gekocht. Ik denk dat we een weekend gefietst hebben voordat we verwikkeld raakten in 'belangrijker' dingen. Ik keek naar de ski's en realiseerde me dat Elena nooit had geskied, laat staan dat ze ooit een pak sneeuw van meer dan twintig centimeter had gezien. Alle dingen die ik met haar had willen doen, worden nu steeds vager, en misschien krijg ik nooit meer een kans.

Krijgen we nog een kans om deze dingen te doen? Ik hoop het, maar ik zal het niet weten. En daar, in die winkel, terwijl ik me omdraai naar Elena om haar te vertellen wat skiën is, zegt ze tegen me: 'Misschien volgend jaar, pap, als ik groter ben.' Dat zou heerlijk zijn.

22 januari

Het hebben van een kans is prima zolang je aan de winnende kant staat. Maar als je een van de pechvogels bent, doen kansen er niet meer toe. Iedere ouder van een kind met kanker zal naar zijn kansen kijken om zijn handelingen erop af te stemmen. Kansen zijn immers alles bij het kopen

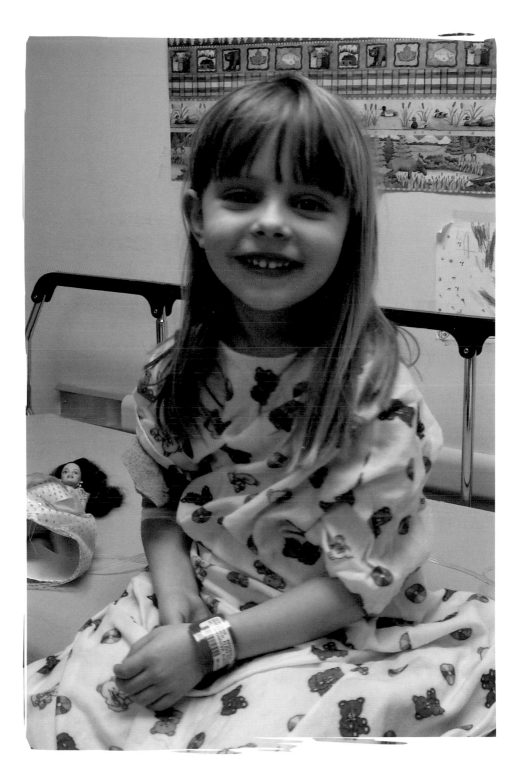

van aandelen, sport en zaken. Toch ben ik onlangs tot de conclusie gekomen dat onze kansen op het immateriële vlak liggen.

Stel dat ze de kanker overwint, waarom? Komt het dan door haar kansen, door geluk te hebben? Of kwam het door onze fantastische strategie, of haar kijk op het leven of een wonder? Stel dat ze niet beter wordt. Komt het door onze vreselijke strategie, onze kijk op het leven of door de wet van behoud van pech? Misschien was het gewoon een slechte diagnose. Hoe dan ook, uiteindelijk doen de kansen er niet toe. En als zij een van de negen op de tien is die de ziekte niet overwinnen, wat doet het er dan nog toe? Voor ons is dat 100 procent te laat. En bovendien, wat betekenen kansen als je het kansspel al hebt verloren en kanker hebt gekregen? Zoals ik het zie, zijn we al die ene kans op een miljoen. Maar wie eigenlijk niet?

Iedereen met kanker baseert zijn beslissingen op zijn persoonlijkheid, op normen en waarden en niet op kansen. In Elena's geval hebben we onze beslissingen ook gebaseerd op het moment en op haar toestand op dat moment. Religie speelde eveneens een dominante rol, hoewel het ons onder deze omstandigheden veel moeite kost om te geloven.

In onze korte tijd hier hebben we veel gezinnen ontmoet: degene die de diagnose net hadden gekregen, degene die een terugval meemaakten, en vooral degene die waren verslagen door de kansen. Je loopt elke dag de kans ontmoedigd en terneergeslagen te raken, maar op de een of andere manier gebeurt dat toch niet. En hoewel sommige mensen zullen zeggen dat het leven in een groep veilig is omdat je met velen bent, weet ik wel beter. Het feit dat je voor het onmogelijke staat, zal zelfs de zwakste ziel verharden. We zullen de kanker overwinnen, we zullen Elena zien afstuderen, we zullen de kansen verslaan. Ik neem de weddenschap aan.

DAG
KEITH **56** BROOKE
23 januari

Vandaag was Elena's laatste bestraling. Ze wilde niet. Maar toen ze hoorde dat ze over twee dagen naar huis mocht, veranderde ze van gedachten.

Daarmee kwam ook een lang vergeten herinnering naar boven aan een smeekbede die haar moeder ooit in Cincinnati had gedaan, *twee maanden geleden*! Als ze de behandelingen zou afmaken, zou mama roze cowboylaarzen voor haar kopen. Ik weet zeker dat dat indertijd een goed idee van mama was, maar voor mij betekende het nu een reis van vele kilometers. Ik zal je de details besparen, maar het resultaat is een nieuw paar roze cowboylaarzen, passend bij haar roze cowboyhoed. Laat ik zeggen dat er vijf winkels voor nodig waren om roze laarzen in maat 27 te vinden. Alsof ik niets beters te doen had! Bedankt, mama. Maar zo kan ik het ook. Ik heb tegen Elena gezegd dat als ze over twee weken terugkomt met mama en haar MRI-scan afmaakt (ze zullen hier maar twee dagen zijn, zonder auto), ze dan van mama een paarse knuffeleenhoorn met vleugels zal krijgen. Veel succes alvast. Het zal ongeveer even moeilijk zijn als roze laarzen.

Er is een traditie in het huis. Aan het eind van het verblijf mag iedere be-
woner zijn handafdruk op de muren van de keuken zetten. De afgelopen
acht weken hebben we onder deze kleurrijke huldeblijken staan koken en
ons afgevraagd wanneer Elena aan de beurt zou zijn. Dat was dus vandaag.
Met verf in de hand maakten Elena en ik haar afdruk op de keukenmuur.
Je kunt natuurlijk wel raden welke kleur ze koos, roze met glittertjes. En
trouw aan haar geheel eigen stijl moest ze het ook nog beter doen en er een
foto bij plakken. Uiteindelijk kwam het natuurlijk grotendeels op mij neer,
want het personeel besloot dat haar plekje op een pilaar zou komen, op
een hoogte van drieëneenhalve meter van waaruit de hele keuken te over-

zien was. Omdat Elena een acute aanval van hoogtevrees kreeg, moest ik haar snel optillen zodat ze haar linkerhand op de pilaar kon drukken, en daarna kreeg papa bovenop de ladder aanwijzingen vanaf de grond.

En net als bij alle andere kinderen voor ons, kwamen haar naam, diagnose en datum, en de datum van ontslag ernaast te staan. Helaas hadden veel andere kinderen 'date of diagnosis' afgekort als 'D.O.D.' en omdat ik wist hoe ik dat in de eerste week had geïnterpreteerd (day of defeat) voordat ik erachter kwam wat het werkelijk betekende, wilde ik niet dezelfde afkorting gebruiken. Ik weet niet goed hoe het nou voelde om in een keuken vol herinneringen te koken. Op sommige dagen waren de handafdrukken opbeurend. En ook al vonden we maar drie anderen met diffuse hersenstamgliomen in de keuken, ze betekenden wel dat we niet de enigen waren. Gezinnen die worstelden met dezelfde angst en hoop, hadden ook in deze keuken staan koken en hun eten net zo vaak laten verbranden als ik. Maar het eindigde ook altijd met de gedachte aan hoeveel er daarvan nog in leven waren. Rond dat moment gaf je het koken op en ging je aan tafel zonder de laatste gang. Zo belangrijk waren die sperziebonen ook niet. Om die reden hanteerde ik de tien-minutenregel. Als ik het niet in minder dan tien minuten kon klaarmaken, deed ik het niet. Meer dan tien minuten wilde ik er niet over nadenken. Ik weet natuurlijk niet of ik thuis eigenlijk wel ooit tien minuten in de keuken stond.

Toen de afdruk klaar was, was het helemaal Elena. Roze, glinsterend, stralend en eenvoudig. Dag keuken, hallo thuis.

DAG

KEITH **58** BROOKE

25 januari

Vandaag zijn we uit het huis vertrokken, hopelijk voorgoed. Niet dat het een slechte plek was (vraag me dat nog eens wanneer ik voor de zoveelste keer andermans borden sta af te wassen in de gemeenschappelijke keuken), maar waar het voor stond, vonden we niet leuk. Ik heb Elena de keuze gegeven om nog een dag te blijven en vrijdagochtend vroeg te vertrekken, maar ze dacht er hetzelfde over als ik en we renden meteen na de bestralingssessie naar de auto en reden naar huis.

Het zal niet de laatste keer zijn dat we naar het ziekenhuis moeten. Van nu af aan tot het moment waarop ze deze ziekte verslaat, zullen we maandelijkse afspraken hebben voor recepten, controles en MRI-scans, maar deze bezoekjes zullen beperkt blijven tot een dag en een vliegreis heen en weer. Hopelijk hoeven we er nooit meer langer dan drie dagen te blijven.

We zijn achtenvijftig dagen onderweg, en het lijkt wel een heel leven. Ik wilde dat het nog langer voelde. En al die tijd vergeet je het nooit. Ik dacht altijd dat ze maar wat zeiden wanneer mensen vertelden dat ze steeds aan levensveranderende gebeurtenissen zoals deze bleven denken. Nu weet ik wel beter. Je denkt eraan terwijl je je aankleedt, je tanden poetst, een boek leest, werkt en vooral wanneer je haar 's avonds instopt. Elke minuut is geen overdrijving. Ze zeggen ook dat dit het gemakkelijke deel was; dat bestraling het eenvoudigste deel van het proces is. Dat deel is nu voorbij en ik vraag me af wat er verder komt. Nu kunnen we alleen maar afwachten.

We hebben haar de maximale dosis bestraling laten ondergaan en nu moet het wonder zijn werk doen. De bestraling heeft ons de tijd gegeven om de ziekte te begrijpen en erop te reageren; dat is alles. Nu zullen we erachter komen of onze reactie de juiste was. In het best mogelijke scenario is de tumor door de bestraling gehalveerd of zelfs helemaal verdwenen. Maar iedere arts vertelt ons dat zelfs als hij is verdwenen, hij in de loop van de tijd terug zal komen. En daar doet de experimentele chemotherapie zijn intrede. Hopelijk is dit het schot in de roos, en zullen we het woord 'terugval' nooit in de mond hoeven nemen. Een terugval betekent wanhoop en nog meer onzekerheid, want dan kan bestraling niet helpen. Mijn nieuwe favoriete leeskost is *Clinical Oncology*, een 1400 bladzijden tellende handleiding over kanker. Kennis is onze toeverlaat.

Vandaag gaat de klok lopen en zien we gratieverlening als ons doel. Nu zijn we weer op onze eigen stek.

GRACE iLOVe GRACEGO GO!

iLOVeTO
MOM

DEEL 2

De witte-
broodsweken

26 januari

Vannacht heeft iedereen goed geslapen. Toen we wakker werden, was het gewoon. Ik ging naar mijn werk, Elena en Gracie naar school en Brooke ging mee voor het kringgesprek. Iemand moest toch de negenenzeventig foto's, het bestralingsmasker en de stickerkaart dragen?

Nadat ze Gracie bij het kinderdagverblijf hadden afgezet, gingen ze naar de kleuterschool voor de grote presentatie. Daar werden ze begroet door een welkomstbord van een bij twee meter en ongeveer driehonderd basisschoolleerlingen en leerkrachten. Beter had Elena het niet kunnen treffen; ze had het alleen niet verwacht. We dachten dat mama het niet droog zou houden, maar daar vergisten we ons in. Het was Elena die moest huilen. Gelukkig moesten ze snel naar binnen.

Om half drie 's middags was het tijd om haar op te halen. Nou ja, misschien was het dat wel niet, maar ik had geen zin meer om te werken. Ik kroop snel weer in mijn rol als al te beschermende vader en doolde door de gangen naar haar klaslokaal. Na een uur wachten was ze dan eindelijk klaar. Ik geloof dat ik de andere leerlingen heb geraakt toen ik haar onder mijn arm nam en naar de auto rende.

Vanavond zijn we sterren gaan kijken bij de plaatselijke sterrenwacht. Daar zag ze de maan, sterren en waarschijnlijk had ze Saturnus ook gezien als we om negen uur niet weg hadden gemoeten. Het geeft niet. Mijn ster ligt vanavond in haar eigen bed te slapen. Mama en ik zullen vannacht goed slapen.

DAG

KEITH **60** BROOKE

27 januari

Hoe ga je door met leven als je weet wat ik weet? Ik vraag me steeds meer af of de moderne geneeskunde een godsgeschenk is of een vloek. Ook al hebben we waardering voor de vooruitgang en de behandelingen die ze brengt: wanneer begin je bang te worden voor de zorgen en onrust die ze óók teweegbrengt? Deze zorgen ken ik uit de eerste hand, de onzekerheid en de angst. Dus wat is een normaal leven? Op elke andere zaterdag waren we loom wakker geworden om zeven uur 's ochtends, hadden we ontbeten met de meisjes en waren we van start gegaan met een lange reeks van boodschappen, schoonmaken en klusjes in en om het huis. Zondag was gereserveerd voor de familie. Vroeger hadden we tijd in overvloed – dat dachten we althans – en stelden we onze prioriteiten anders. Schoonmaken, boodschappen doen en klusjes waren belangrijker dan tijd doorbrengen met onze kinderen. Toen waren het schuldbewuste pleziertjes, maar nu hebben we geen tijd meer te verliezen.

Weet je, elke handeling, elke beslissing wordt nu afgewogen tegen ernstige gevolgen. Moet je douchen? Doe het snel, daarmee kun je vijf minuten winnen. Moet je naar de kapper? Ga volgende maand maar, wacht tot ze slaapt. Moet je het huis schoonmaken? Dat doen we 's avonds. Het leven draait om hen en verder doet niets er nog toe.

Wanneer komt er een einde aan? Komt er een einde aan? Wie weet, maar ik hoop dat ik zulke beslissingen de rest van mijn leven zal moeten blijven nemen. Dat is de vloek van de geneeskunde. Je kunt de ziekte diagnosticeren, maar God houdt het tijdsbestek geheim. Het zal wel goed zijn om op die manier te leven en het belang van elke handeling te zien. Dat begrijp ik nu, maar ik hoop dat de les snel voorbij is en zij genezen zal zijn. Tot dat moment, zal elk weekend, elke middag en elke ochtend anders zijn.

DAG

KEITH **62** BROOKE

29 januari

Cornflakeskus! Die krijg ik elke ochtend voordat ik naar mijn werk ga. Het is Elena's en Gracies manier om afscheid van me te nemen en ik voel de restjes, die geluk brengen, nog op mijn wang zitten. Eerst krijg ik een gewone kus en een knuffel om me een vals gevoel van veiligheid te geven.

Dan, net als ik wil vertrekken, springen ze van tafel en vragen ze nog één kus en een knuffel. En daarna krijg ik de melkkus en rennen ze terug naar de tafel, 'Cornflakeskus! Cornflakeskus!' zingend voordat ik ze kan pakken. Ze denken dat ik erin ben getuind, maar de waarheid is dat ik niet kan wachten tot het zover is. Oké, misschien hebben ze me de eerste paar keer erin laten lopen, maar ik had ze natuurlijk zo door.

Op zulke momenten geniet een ouder het meest van zijn kinderen; de uitjes naar Disney World (hoewel die ook leuk zijn), de eerste schooldag of zelfs maar een bevalling zijn lang niet zo opwindend als de kleine dagelijkse momenten. Van vier tot acht jaar is de mooiste leeftijd. Die tijd vind ik als ouder de meeste voldoening geven, omdat je hun creativiteit en persoonlijkheden ziet groeien. Natuurlijk dacht ik dat ook van de leeftijd twee tot drie jaar en van nul tot twee jaar. Misschien wordt het gewoon steeds beter.

Als ik hieraan blijf denken, kan ik met een nieuw perspectief van elke dag blijven genieten. Opdrachten als 'Was je handen, met zeep' en 'Was je handen, met water' vind ik lang niet zo frustrerend meer. Wie had kunnen denken ooit tegen zijn kind te zeggen: 'Zit niet in die banaan te knijpen,' 'Niet aan de boter likken,' en 'Niet je zusjes billen borstelen met de tandenborstel'? Alsof het wel mag met een haarborstel. En dan te bedenken dat ik al die zinnetjes vandaag heb gezegd. Maar zo zal het vaderschap wel in elkaar steken.

Vader zijn is meer dan het goede en het slechte, het gaat er ook om dat je de tijd neemt om te koesteren wat je hebt en de humor in het dagelijks leven te vinden. Zonder die twee zul je nooit herinneringen vormen. Ik denk ook niet dat ik snel het beeld zal vergeten van Gracie die boter uit het kuipje zit te likken.

DAG
64
KEITH BROOKE
31 januari

Hoe meet je de tijd? Wanneer Elena vraagt hoe lang ze nog naar dokters moet of haar bloed moet laten afnemen, antwoord ik: 'Nog een tijdje.' Is 'een tijdje' een paar maanden of zal het de rest van haar leven zijn? En als een paar maanden nu eens de rest van haar leven zijn? 'Een tijdje' betekent niet meer hetzelfde als gisteren, en ik hoop dat 'een tijdje' ooit weer een heel leven zal betekenen.

Op een willekeurige dag hoor ik mensen dingen opmerken als: 'Waren mijn kinderen maar ouder,' 'Was het maar zomer,' of 'Kwam er maar een eind aan deze dag.' Met zulke achteloze opmerkingen praten we tegen elkaar en worstelen we met de tijd. Ik wil alleen maar dat het vandaag is. Ik zou zelfs willen dat het gisteren was. De tijd besluipt je of je nu wilt of niet. Ik wilde dat hij het wat rustiger aandeed.

Een uitje naar de supermarkt is niet meer hetzelfde. Ik let nu niet meer alleen op prijzen (of biologische producten) maar ook op de houdbaarheid. De data op de verpakkingen hebben een nieuwe betekenis als je bedenkt dat het eten dat je koopt misschien wel langer zal meegaan dan je dochter. Nog een reden om biologische producten te kopen: er zitten geen conserveringsmiddelen in, dus binnen een week zijn ze over de datum.

De klok tikt door terwijl wij zoeken naar een antwoord. Ik weet dat de antwoorden snel zullen komen, maar voorlopig wachten we en onderdrukken we de neiging om te reageren. Dit is Elena's tijd. Haar dagen bestaan uit school, kieteltijd en veel verhaaltjes voor het slapengaan. (Vanavond deden we er wel een uur over. Haar leesvaardigheid gaat er beslist op vooruit. Brooke en ik kunnen de letters van 'naald', 'bloed' of 'ziekenhuis' niet meer spellen zonder dat ze het weet. Angst zal ook wel goed zijn voor de leercurve.)

Hoe lang moeten we nog wachten op de genezing? Ik weet het niet, maar ik hoop minder dan 'een tijdje'.

DAG

66

KEITH   BROOKE

2 februari

Vandaag was de dag om bruidsjurken te kopen en Elena's tante stelde zich maar al te graag beschikbaar. Het is haar bruiloft, maar door de omstandigheden was het helemaal Elena's dag. Zes jaar lang zijn we op weg naar de kinderopvang langs de plaatselijke bruidswinkel gereden en Elena kondigde elke keer vol trots aan in welke jurk zij later zou trouwen. Toen Keith haar vroeg wat ze wilde doen nadat ze uit het ziekenhuis kwam, was het

dus alleen maar logisch dat ze antwoordde: 'Een bruidsjurk kopen.' We wisten dat het voor Keith en mij moeilijk zou worden, maar het was wat Elena wilde. En dankzij de bruiloft van haar tante hadden we nu ook een gelegenheid.

Gelukkig was het een fantastische bruidswinkel, mooi en rustig, de perfecte plek voor twee kinderen die stijf stonden van de suiker. Eerst mochten de meisjes een jurk uitkiezen. De exemplaren die bleven hangen, waren te groot of limoengroen. Toen de bloemenmeisjes eenmaal hun allermooiste jurk hadden gevonden, wisten we dat we ze nooit zo ver zouden krijgen dat ze hetzelfde zouden dragen. Deze meisjes zijn zo verschillend en er is geen jurk die alle persoonlijkheden past. Zo koos Elena de roze, glinsterende, opzichtige jurk die zei: 'Hier ben ik!' terwijl Gracie een witte jurk wilde met roze bloemen en tule eromheen die zei: 'Ik ben ingetogen en verfijnd en ik hoor boven op een bruidstaart.'

Ze draaiden rondjes en paradeerden heen en weer en hielpen hun tante bij het uitzoeken van haar eigen jurk. Gracie vermaakte de jongens tussen het passen door en sprong voor en achter het gordijn om de kleur en het soort jurk aan te kondigen. Daarna viel ze prompt op de grond omdat haar voeten verstrikt raakten in het kant en het satijn. We konden niet stoppen met lachen om dat kleine meisje in haar mooie jurk die over zichzelf heen viel en steeds zei: 'Het gaat alweer!' Elena kondigde de komst van haar tante steeds aan en hield ons op de hoogte van de tijd die resteerde tot de verschijning van de volgende jurk. Zij was onze coördinator. Opa was daarentegen belast met Keith. Gelukkig dat hij er was, want Keith wist niet hoe hij zich moest gedragen in het bijzijn van een vrouw die kleren aanpast. Opmerkingen als: 'Die jurk lijkt wel een slagroomtaart,' 'Daarmee kun je naar een discofeest' en 'Dat is mijn op drie na favoriete jurk,' zijn niet de weg naar het hart van een vrouw, vooral niet als ze op het punt staat te gaan trouwen in haar droomjurk.

Keith bleek niet in staat om voldoende tact of geduld op te brengen voor het kiezen van de bruidsjurk, maar elke jurk die zijn meisjes aantrokken was 'perfect', 'mooi' of 'Dát is nu echt een prinsessenjurk'. En toen we klaar waren, merkte ik dat geld geen punt was als het om zijn meisjes ging.

Wat doe je tussen de grote momenten van het leven in? Bestaat het leven uit televisiekijken, gesprekken over koetjes en kalfjes en het werk? Of bestaat het juist uit naastenliefde, vervulling en leiderschap ten dienste van anderen? Vragen we onze kinderen: 'Wat wil je worden als je groot bent?' of zouden we hen moeten vragen: 'Wat wil je volbrengen als je groot bent?' En wat is de totale waarde van alle tijd die we besteden aan vertier en vermaak in plaats van aan het ware doel van het leven? Kan één persoon de wereld veranderen? Kan één persoon kanker genezen?

Het antwoord was te vaak nee, maar door Elena ben ik de wereld anders gaan zien. Toen dit begon, waren we alleen maar toeschouwers, die het wel best vonden om toe te kijken hoe de wereld ons beïnvloedde. Kanker was niet nieuw voor onze familie – integendeel – maar begrijpen deed je het nooit, laat staan dat je actief deelnam aan de genezing. In plaats daarvan bad je om een wonder en wachtte af. En ook al krijgt het gebed zijn plek, vaak sloegen we geen acht op de realiteit dat er zich ook wonderen voltrekken ín mensen. Kanker was het werk van de arts. Wat wisten wij nu helemaal over behandelingen, stichtingen en tumoren? We waren toevallige slachtoffers en nu beïnvloedt het leven ons op manieren die we nooit voor mogelijk hadden gehouden. Na achtenzestig dagen in verbijstering te hebben doorgebracht, beginnen we onze verantwoordelijkheid voor de vernietiging van deze dodelijke ziekte te zien. Wij zijn net zo min als Elena machteloos, nietig of immuun voor deze uitdaging.

Gisteravond heb ik in klinische onderzoeken zitten lezen en me door ongeveer tweehonderd bladzijden van de handleiding klinische oncologie geworsteld. Sommige dingen begrijp ik, andere niet. Sommige stukken lijken logisch, andere lijken niet te kloppen. Ik ben een onopgeleide geest in een zee van onwetendheid. Ik pretendeer niet iets te begrijpen of zelfs maar te helpen genezen wat zoveel hoogopgeleide mensen voor raadsels blijft stellen. Bewustwording zal wel een deel van de oplossing zijn. Hoe meer we ons bewust worden van de kenmerken van deze ziekte, hoe beter we onze rol zullen gaan begrijpen. Ik vertrouw erop dat de tijd aan onze kant staat.

Het was tijd om naar Memphis te gaan voor een controle. Dit is de volgende fase van de ziekte. Vanaf nu geeft elke MRI-scan hoop op remissie. Vandaag was niet zo'n dag. Niet dat de scan negatief was, maar positief was hij ook niet. Het was 'zoals verwacht'. Door de combinatie van bestraling en chemotherapie was de tumor ongeveer 50 procent geslonken. En hoewel dat positief is, wordt onze blijdschap getemperd door het besef dat de bestraling voorbij is en dat chemotherapie onze enige optie is om de tumor nog tot stilstand te brengen. Het gaat er nu om de tumor statisch te houden en een terugval te vermijden. Dit is de nieuwe norm.

Tijdens het analyseren van de tumor merkte de arts ook de aanwezigheid van 'bloedspikkels' op. En hoewel dat op zich niet veel betekent, wordt de lijst met aanbevolen protocollen door de kans op bloedingen teruggebracht van zestien naar twee. Nader onderzoek is geboden.

Elena en ik besloten vanavond vast wat voorwerk te verrichten door de cd-rom met de MRI-scan in mijn computer te stoppen om de 'hoofdschijf' te zien, zoals Elena hem noemde. Er volgde een onverwachte ontlading want we eindigden liggend op bed, slap van het lachen. Elena lachte omdat ze haar hele oogbal op de scans zag. Ik lachte omdat het belachelijk was dat ik ook maar dacht dat ik de 'bult' zou kunnen onderscheiden op die scans, ook al bleef Elena erop aandringen dat ik hem aanwees.

Na voor dokter gespeeld te hebben, besloot Elena omdat we pizza hadden besteld mij te gaan bedienen. Ze legde handdoeken neer als placemat, schoof stoelen bij en gaf me een menu. Ze serveerde me de pizza en vroeg me mijn mond af te vegen, want 'dit is een beleefd restaurant'. In de keuken werkt ze duidelijk niet, want ik mocht de borden zelf afwassen. Gelukkig was het allemaal papier en plastic.

Morgen gaan we naar Disney World en de meisjes zijn door het dolle heen. We hebben het een halfjaar geleden gepland in combinatie met een zakelijke reis. Met werk heeft het inmiddels niets meer te maken en we krijgen gezelschap van twee grootouderparen, en het gezin van mijn zus en dat van Brooke's broer. We zijn een soort kudde. Brooke en ik waren het huis aan het schoonmaken en spullen aan het pakken voor alle weersomstandigheden en noodgevallen die zich konden voordoen. Na zes tassen besloten we het op te geven en de rest te kopen mocht het nodig zijn.

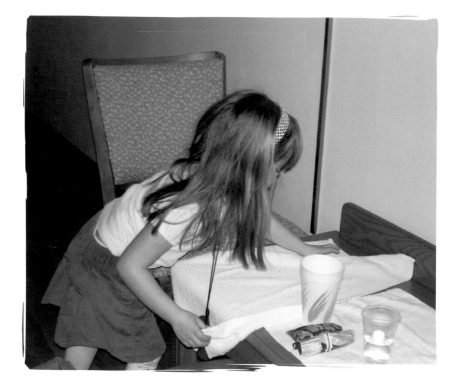

13 februari

Voor de oma's was het spel van vandaag 'menens'. Dat is het probleem met gezamenlijke familiebijeenkomsten. Onvermijdelijk monden ze uit in een bittere wedstrijd tussen de twee grootmoeders, waar de cadeaus even hard gaan als de klappen. Van links komt het snoepgoed, van rechts de boeken. De strijd wordt al gauw gemeen, met knuffeldieren, vuurwerktoetjes en sieraden. Voor we het weten, zijn de meisjes al zo verwend dat onze beste corrigerende inspanningen geen effect meer hebben. Bovendien past dat alles helemaal niet in een koffer. Vandaag was het al niet anders. Gelukkig hebben Brooke en ik eraan gedacht om een vierde koffer mee te nemen, speciaal voor dit doel. Ik hoop dat het niet nog erger wordt, ook al weet ik dat Valentijnsdag eraan komt. Ik zie de liefdeshartjes en de poppen al op de stoep liggen. Net nu we zo ons best doen om biologisch te eten en anti-oxidanten in haar te krijgen.

Vandaag regende het dat het goot in Disney World. Daarom brachten we de dag door in It's a Small World (ik weet dat je het liedje nu aan het zingen bent, veel succes met het weer uit je hoofd krijgen van de melodie) en de Haunted Mansion. Thunder Mountain moet maar wachten tot het droog is. Tegen vier uur 's middags werd het wat droger en gingen we op pad naar het Hawaïaanse feest in het Polynesische Resort. Daar werden we begroet met bloemenslingers en de broodnodige drankjes en hapjes, in die volgorde.

Voor het eerst zaten we bij elkaar als groep van vijftien mensen om te praten, lachen en eten. Het was een mooi einde van de dag en een heer-lijke manier voor Elena om van haar liefhebbende familie te genieten. Toen de zon onderging en de temperatuur daalde, vroeg ze of ze op mijn schoot mocht zitten om naar de vuurdansvoorstelling te kijken. Ik kon natuurlijk geen nee zeggen toen ik haar ogen zag schitteren in het licht van de show. Eerlijk gezegd heb ik geen flauw idee wat er tijdens het Hawaï-aanse feest gebeurde; ik heb haar het hele uur vol aanbidding zitten vast-houden.

Al zo lang had ze niet meer bij me gezeten zonder te kronkelen of naar mama te willen, sinds ze een paar maanden oud was, en ik piekerde er niet over haar los te laten. Toen de voorstelling voorbij was en het tijd was om naar huis te gaan, tilde ik haar op, legde haar hoofd tegen mijn schouder en ging op weg naar de veerboot die ons naar huis zou brengen; het deed er niet toe dat mijn armen al een halfuur sliepen. En toen we terug waren, deden niet alleen mijn armen pijn, maar mijn hart ook. Want wanhoop dwingt je in het heden te leven terwijl je in gedachten naar de toekomst racet. Desondanks was ik vanavond de gelukkigste vader ter wereld.

DAG

KEITH **78** BROOKE

14 februari

Elena is nooit extravert geweest. Ze zal zich nooit vrijwillig ergens voor melden, en al helemaal niet voor uitdagingen. Ze zal niet hardop zingen in de auto of in de badkamer, ze praat niet met vreemden en ze zal geen nieuw eten proberen. Tijdens haar hele zesjarige leven is haar comfortzone beperkt gebleven tot wat ze kent en tot aan wat wij haar dwingen te doen. Dan, en alleen dan, zal ze toegeven dat het toch wel een goed idee was.

Na de ervaringen van de afgelopen vier maanden verwachtten we niet anders van haar. Ze zou nog steeds verzet bieden en wij zouden haar blijven prikkelen. En we kregen gelijk. We hadden alleen niet verwacht dat ze daar zo extreem in zou worden. Sinds haar diagnose is alles een uitdaging geworden en vecht ze om in haar comfortzone te mogen blijven. En anders dan vroeger gaat dit nu gepaard met tranen, schreeuwen en een angst die we niet eerder bij haar zagen. Na vier maanden van naalden, operaties en verlamming lag haar zelfvertrouwen aan flarden en konden we dat alleen met dwang herstellen.

Vandaag hebben Brooke en ik er bijna een uur over gedaan om Elena met overredingskracht, omkoperij en vleierij zover te krijgen dat ze met haar neefjes en nichtjes van een waterglijbaan af ging. Maar we hadden geen succes, dus na een halfuur trok ik haar tegen me aan en begon naar boven te klimmen. Na tien stappen smeekte ze me te stoppen; nog tien stappen verder en ze huilde dat ze naar de wc moest; weer tien stappen en ze klaagde dat haar rechtervoet pijn deed; en na de laatste tien stappen vertelde ze me dat ze hoogtevrees had. De prijs voor Vader-van-het-Jaar zou dit jaar aan mijn neus voorbij gaan.

Uiteindelijk deed ik wat iedere liefhebbende vader in mijn plaats had gedaan: ik duwde haar van de glijbaan af en zag haar huilend de eerste bocht om gaan. Daarna dook ik achter haar aan. Ik geloof dat ze dit 'gedwongen plezier' noemen. Ook al wilde ze niet, ik wist dat ze het moest proberen.

Ze was beneden nog niet het water in geplonsd of ze was ze al weer op weg naar boven en tegen iedereen die ze onderweg tegenkwam, zei ze hoe dapper ze wel niet was dat ze van de waterglijbaan af durfde. Van een gebrek aan zelfvertrouwen was helemaal geen sprake meer, ze was eerder boven dan ik en leek van alle hoogtevrees genezen te zijn. Gedwongen plezier wordt ernstig onderschat. Morgen proberen we de andere glijbanen. Het is genoeg geweest voor vandaag.

Vandaag stappen we in het vliegtuig naar huis. Gisteren zijn de groot-
ouders, tantes en ooms vertrokken, waardoor we nog een dag hadden
om een gezin van vier personen te zijn. Met de gedachten die wij hebben,

biedt dat echter weinig troost. Deze hele vakantie is een strijd tegen de tijd geweest. Elke attractie brengt de hoop dat er nooit een einde aan zal komen. Elke optocht biedt de kans dat de wagens zullen blijven komen. Elk vuurwerk draagt de wens in zich dat de lichtspatten in de donkere hemel blijven drijven. Maar net zoals er een eind komt aan de attracties, optochten en het vuurwerk, moet ook deze vakantie ooit eindigen. Voor ons zijn deze eindes meer dan de terugkeer naar het leven; ze zijn ook een stap verder in een richting die we niet wensen op te gaan. En naarmate de dagen verstrijken, wordt ons leven gecompliceerder en worden onze omhelzingen van Elena onzekerder.

Ik wil niet dat er een einde komt aan deze vakantie of aan het weer of aan de ervaringen, omdat ik deze 'wittebroodsweken' niet kwijt wil, zoals de artsen het noemen. Dit is de tijd waarin zij weer een zesjarige kan zijn zonder de ongemakken van bloedonderzoeken, MRI-scans en moeilijke gesprekken met artsen, waarin we taboewoorden vermijden in haar bijzijn. Ik denk eigenlijk niet dat we de afgelopen zeven dagen meer hadden kunnen doen en ik twijfel of mijn knieën en rug nog meer wandelingen hadden kunnen verdragen, maar mijn geest had nog veel verder kunnen reizen als de tijd dat had toegestaan. Dit is de realiteit van de tijd; de tijd wacht niet en gaat ook niet in de herhaling.

Vandaag keek Elena me aan en vroeg of ze ooit in Disney World zou kunnen trouwen. Ik dacht na. Mijn antwoord was: 'Natuurlijk.' Ik hoop dat het geen leugen was maar het beste antwoord dat ik had kunnen geven. Laat de tijd nu eens aan onze kant staan en laat mij die bruiloft betalen. Jullie zijn allemaal uitgenodigd.

DAG
KEITH 83 BROOKE
19 februari

Zonnebloemen zijn Elena's nieuwe passie. *De Zonnebloemen* van Van Gogh om precies te zijn. *Pool spelende honden* had kennelijk niet de aantrekkingskracht van Van Gogh. En toen we afgelopen zaterdag naar

Frankrijk gingen (vooruit, het Frankrijk-paviljoen in Epcot), wist Elena meteen wat ze mooi vond. Daar zag ze Van Gogh in al zijn glorie; op ansichtkaarten, schoudertassen, snijplanken en posters. Vooral het licht-schakelaarbord met *De Sterrennacht* vond ze prachtig, maar uiteindelijk koos ze de poster van *De Zonnebloemen*, vooral omdat ik achttien dollar voor het bord te duur vond. Elena greep de kans om de kassajuffrouw te vertellen dat haar 'opa-opa het echte schilderij thuis had' en dat dit maar een kopie was. Ik denk dat we daarmee de aandacht van de kassajuffrouw wel hadden, ondanks de taalbarrière. Het doet er niet toe dat de afbeelding die bij opa aan de muur hangt ook een kopie is van het origineel, geschilderd door mijn oudtante; voor Elena is dat het origineel.

Morgen gaat de poster mee naar school voor in de kring. Ik heb begrepen dat ze niet één ding moet meenemen maar twee, om het te kunnen delen, want dat is de verantwoordelijkheid van de 'Ster van de Week'. Brooke en ik weten niet of dat echt zo is, maar eerlijk gezegd denk ik niet dat we dat erg vinden en hetzelfde zal wel voor haar kleuterklas gelden. Laat haar de vreugde en de schoonheid van Van Gogh met de klas delen als ze vertelt dat haar opa-opa het echte werk heeft. Ja, ergens in Cincinnati bevindt zich een schilderij dat miljoenen waard is. Wij zullen echter meer dan genoegen nemen met de glimlach op Elena's gezicht. Dank je, Van Gogh.

DAG KEITH **84** BROOKE

20 februari

Een jaar geleden had ik nog nooit van de Caldecottmedaille gehoord. Vandaag weet ik tenminste dat het een literatuurprijs is. Maar verder weet ik nog steeds niet wat de prijs betekent. Voor Elena echter moet elk boek dat de Caldecottmedaille heeft gekregen wel bijzonder zijn. Het zijn de boeken die we als eerste lezen voor het naar bed gaan. Deze boeken hebben zelfs hun eigen boekenplank, want anders zouden ze maar tussen de 'gewone' boeken terechtkomen.

Elena is dol op haar boeken en dat is te zien. Er zijn drie boekenplanken in haar kamer, en nog eens twee in Gracies kamer, waar meer muuroppervlakte is. Gracie daarentegen is dol op knuffeldieren. Die legt ze liefdevol overal op de grond neer. Dat zou Elena nooit doen met haar boeken. Elk boek krijgt een plekje op de plank, de ruggen naast elkaar, de letters dezelfde kant op, volgens een opbergsysteem waarmee ze Truus de Mier naar de kroon steekt.

Een boek lezen met Elena is een hele onderneming. Eerst moet je het boek van zijn kaft ontdoen, als die eromheen zit. Om de pracht van het voorlezen te ervaren, moet je immers niet alleen de bladzijden zien maar ook het boek zelf voelen. Let erop dat je de kaft niet zomaar teruglegt op de plank, want hij moet na het lezen zo snel mogelijk weer om het boek heen. Vervolgens mag je nooit vergeten de naam van de schrijver te noemen, de voorkant aan het publiek te tonen en het daarna aan te sporen om te vertellen waar ze denken dat het over gaat. Het doet er niet toe dat het publiek misschien alleen uit mama, Gracie en mij bestaat. Ten derde sla je het boek open op de eerste bladzijde om de colofonpagina te bespreken en de illustrator als dat niet dezelfde persoon is als de schrijver. Stop dan weer met het colofon en bespreek Elena's leeftijd ten tijde van de oorspronkelijke publicatie. Daarna ben je eindelijk klaar om te gaan lezen, maar vergeet het niet over de kwaliteit van de illustraties te hebben en hoe de afbeeldingen het verhaal vaart geven. Afbeeldingen van ver weg die close-ups worden, betekenen dat de ik-persoon op reis is. Het is ook belangrijk om het kleurgebruik van de illustrator te begrijpen. Felle kleuren betekenen blije gevoelens, terwijl donkere kleuren verdriet aangeven. Als je eenmaal door het boek heen bent, doe je het dicht, leg je het op je schoot en vraag je het publiek om 'het boek te bespreken', met jou. Dan heb je pas echt van het voorlezen genoten. Nu weet je ook waarom we er 's avonds altijd een uur of langer over doen om drie kinderboeken te lezen.

Elke dag leren we weer iets van Elena. Ik heb eerlijk gezegd nog nooit naar het colofon gekeken of de kleuren van de illustraties bestudeerd. Hoewel ik de ouder ben, is zij nog steeds de lerares. Dus zo omstreeks zeven uur 's avonds is het tijd om in een indiaans kringetje te gaan zitten en te luisteren. Daar zijn we goed in. Als je haar vraagt wat ze wil worden als ze groot is, dan zegt ze dat ze moeder wil zijn en daarna lerares. En door haar aansporing wil zelfs Gracie nu lerares worden in plaats van 'politiemeisje'. Ik weet dat Elena een uitstekende moeder en lerares zal zijn. Tot die tijd ben ik 's avonds graag haar leerling gedurende een uurtje of twee.

DAG

KEITH 86 BROOKE

22 februari

Al onze serieuze gesprekken lijken zich de laatste tijd in de auto af te spelen. Zoals gisteren. Ik haalde haar om twee uur 's middags van school voor een wekelijkse controle in het ziekenhuis. Ze wist meteen wat dat zou betekenen – een bloedonderzoek – en ze was er bepaald niet blij mee. Mijn afleidingsmanoeuvres strandden, want ze wist hoe ik het speelde en zou er niet in tuinen. Ik praatte over haar dag; zij had het over naalden. Ik praatte over popcorn en een film na het avondeten; zij had het over blauwe handschoenen. Ik praatte over jonge poesjes; zij smeekte me naar huis te gaan. En hoewel ik haar dolgraag mee naar huis had genomen, wist ik dat we zonder het bloedonderzoek nooit thuis hadden kunnen blijven. Uiteindelijk zwichtte ik en probeerde het haar uit te leggen. Ik vertelde dat ze dankzij de bloedonderzoeken naar school mocht, thuis mocht wonen in Cincinnati en bij haar vriendjes en vriendinnetjes zijn, en dat ze een deel van de reden waren dat ze beter aan het worden was.

'Maar ik ben al beter, pap,' zei ze. Ja, ze was beter, maar zoals de tumor er lange tijd over deed om te groeien, zou hij er ook lang over doen om te krimpen. Dat begreep ze niet. Ze kon immers lopen, praten en eten, waarom moest ze dan nog steeds naar de dokter en medicijnen nemen? 'Word ik ooit beter?' vroeg ze. 'Komt de bult terug zodat ik weer in de rolstoel moet? Ik eet gezond en ik slik de medicijnen, dus gaat hij weg.' Ik zweeg. Zij wachtte. Ze vroeg het weer. 'Nee, het wordt elke dag beter, maar daar is veel tijd voor nodig en moeten we vaak naar de dokter.' Ik beloofde mezelf dat ik haar de waarheid vertelde. De doktersbezoeken, de onderzoeken, de medicijnen en haar geduld zouden het uiteindelijk winnen van de ziekte. De rest van de rit verliep in stilte. Ze dacht er nog steeds hetzelfde over.

Morgen hoop ik dat onze gesprekken over jonge poesjes gaan en niet over onze onzekere toekomst. Toch leer ik in zulke situaties het meest van Elena. Ze is slim en zich pijnlijk bewust van haar omstandigheden. Ik vraag me vaak af of zij de discussie evenzeer mijdt als ik. Misschien denkt ze dat ik het nog niet weet. Ze is veel slimmer dan we ooit kunnen weten.

DAG

KEITH **87** BROOKE

23 februari

Elke stap en elk woord met Elena krijgt nu een nieuwe betekenis. Op maandag was het een onduidelijk uitgesproken woord. Dinsdag klaagde ze dat ze niet kon horen. Op woensdag besloten Brooke en ik naar het kinderziekenhuis te gaan om te horen of het iets ernstigs was of dat we overdreven reageerden. We reageerden overdreven. Maar omdat deze symptomen net zo subtiel waren als in het begin en zich binnen een paar dagen hadden ontwikkeld tot een totale verlamming, leek het ons beter het met een arts te bespreken. Heerlijk om het mis te hebben. Ik hoop dat we de komende tachtig jaar overdreven kunnen blijven reageren.

In de avond kregen we weer een kans om overdreven te reageren toen we met mama in het winkelcentrum waren. Elena klaagde dat ze moe was en we merkten op dat haar rechtervoet naar buiten begon te draaien. Daarna bleef ze met haar voet achter een tree van de roltrap haken en viel op haar knieën. Voor Gracie was dat normaal geweest, maar voor Elena was het een nieuwe reden om ons zorgen te maken. Ik heb haar de rest van de weg gedragen. Tegen de tijd dat we thuis waren, stond de voet weer normaal en klom ze zelf de trap op om naar bed te gaan. Kon ik me weer vergissen?

De dokter zegt dat glioomsymptomen vaak in omgekeerde volgorde terugkomen van hoe ze na de bestraling verdwenen. Dat zou betekenen dat ze als eerste haar slikreflex zou kwijtraken, daarna het gebruik van haar rechterbeen en rechterhand, en daarna haar vermogen om te spreken en te eten. Vanavond zit ze op de bank met een zak popcorn, slikreflex volledig intact.

Toch denk ik niet dat hier ooit verandering in zal komen. Ze zal ons blijven verbazen en wij zullen elke beweging die ze maakt blijven analyseren. Ik vind het heerlijk om me te vergissen, zeker nu. Nog negenenzeventig en een half jaar te gaan…

DAG

KEITH **91** BROOKE

27 februari

De volgende keer weet de zwemlerares wel beter. En misschien, heel misschien doet ze dan eerst een stap naar achteren voordat ze tegen Gracie zegt dat ze in het water en in haar armen moet springen. Bij nader inzien: misschien doet ze dan drie stappen naar achteren.

Vandaag kwamen we door onze zoektocht naar fysiotherapie weer bij het plaatselijke zwembad terecht. We hebben Gracie en Elena opgegeven voor zwemles. En ook al zullen we door Elena's behandelschema nooit elke week kunnen gaan, we wilden haar maar al te graag inspireren in deze monotone winter. Gracie was het bijkomende voordeel, Elena's 'competitiefactor'. En daar aan de rand van het zwembad, begon hun zwemles. Om in te schatten hoe zwemvaardig ze waren, moesten ze in het zwembad springen. Elena liep naar de rand, voorzichtig om niet uit te glijden, te struikelen of zelfs maar nat te worden. Eerst kwam de teen, daarna volgde het been. De juf kwam naar voren. 'Spring maar in mijn armen,' zei ze. Elena ging zitten, met bungelende benen en uitgestrekte armen. En na wat wel een uur leek, leunde ze eindelijk naar voren en liet zich elegant in het water glijden.

Toen was Gracie aan de beurt. De juf besloot dat als de oudste er zo lang over deed, de jongste vast nog meer aangemoedigd zou moeten worden. Ze kwam dichterbij. Gracie stond met haar rug tegen de muur te wachten, de juf om de tuin leidend met haar typische schuwe blik. Iemand die niet beter weet, zou kunnen denken dat ze verlegen en timide is. De rest weet dat ze dan iets stouts van plan is. De juf kende Gracie niet. 'Kom maar, spring maar in mijn armen,' smeekte ze. Gracie hoefde niet aangemoedigd te worden en ze zou zich zeker niet in het water laten glijden. In Gracies wereld (wij noemen het 'Graccland') had ze nu goedkeuring. Ze nam een

sprinthouding aan, zette zich af tegen de muur en spurtte naar het zwembad; te laat voor de juf. Ze probeerde terug te deinzen, maar Gracie was al in de lucht. En toen ze landde, kwam ze niet alleen in haar armen terecht, maar ook op haar borst, haar hoofd en het haar dat de juf zo graag droog had willen houden. O, en die vorm! Armen en benen omhoog, buik naar beneden. Het was de perfecte buiklanding, zo perfect dat je zou verwachten dat ze op haar buik over het water zo naar de andere kant gleed. Dat deed ze natuurlijk niet, want de juf stond in de weg. In plaats daarvan gingen ze beiden kopje onder, Gracie boven op de juf. Ik denk dat ze voor dat onderdeel van de les is geslaagd, ook al kan ze nog lang niet zwemmen.

Je realiseert je pas hoeveel Elena heeft verloren als je haar ziet zwemmen. Vóór de diagnose zwom ze zonder hulp naar de overkant. Nu komt ze amper zes meter vooruit met een plankje. Gek dat één maand verlamming zoveel schade kan aanrichten. Maar daarom zullen we ook wel hier zijn. Hoe meer ze oefent, hoe meer spieren ze opbouwt om haar door de rest van de strijd heen te helpen.

DAG

KEITH 92 BROOKE

28 februari

Het is de taak van de vader om te beschermen. Dat zei ik altijd tegen Elena, van de eerste keer dat ze van de glijbaan ging tot haar eerste MRI-scan. Het was mijn motto, en als je Elena vraagt wat de taak van een vader is, zou ze je het zonder aarzeling vertellen. Wat er ook gebeurde, papa was er om je te redden en te beschermen. En ik geloofde het. Het is een gemakkelijke taak. Ik heb pestkoppen, duisternis en nachtmerries verjaagd. Als het erop aankwam mijn dochters te beschermen, geloofde ik dat mijn handen sneller waren dan het licht en dat mijn huid dikker was dan een harnas. Wat de dreiging ook was, ik vertelde hun dat papa ervoor zou zorgen dat ze veilig waren. Wist ik veel wat er op ons pad zou komen.

En in de beginfase van de ziekte dacht ik ook nog dat ik haar dankzij de kracht van het vaderschap op de een of andere manier weer zou kunnen beschermen. Ik zou de kanker kunnen genezen of de wonderdokter vinden die de oplossing had maar gewoon niet wist hoe hij het de rest van de wereld moest vertellen. Die kracht neemt nu af, omdat ik me realiseer dat er steeds minder opties overblijven.

Vandaag hoorden we dat het effect van chemotherapie misschien niet zo positief is als we hadden gehoopt. We zijn er niet 100 procent zeker van maar als we volgende week naar Memphis gaan, zal dit het belangrijkste onderwerp zijn. De implicaties zijn op zijn zachtst ontmoedigend. In combinatie met bestraling heeft het medicijn waar we al onze hoop op gevestigd hadden misschien weinig tot geen impact op de groei van de tumor; dit volgens een andere patiënt die aan hetzelfde experiment deelneemt en die zijn arts vorige week heeft gesproken. Met andere woorden, misschien hebben we de beste kans laten liggen om deze tumor de baas te worden. Nu kunnen we alleen maar hopen op chemotherapie, maar omdat ze haar maximale bestralingsdosis al heeft gehad lijkt dat een kansloze onderneming.

En zo begint er vandaag een nieuwe strijd. Een strijd die we moeten begrijpen en waarop we ons moeten voorbereiden om hem te winnen. En ook al worden de tijd en de richting die we moeten kiezen uiteindelijk bepaald door de ziekte zelf, als vader put ik weinig troost uit de wetenschap dat we alles doen wat we kunnen doen. Elena's tijd voor wonderen is aan ons want de medische wereld houdt elke dag minder opties over. Maar net zoals het de taak van een vader is om te beschermen, mag hij het ook nooit opgeven. En hoewel ik vanbinnen wil stoppen, kan ik dat niet. De kanker mag dan groeien en de neveneffecten verergeren, maar ik moet haar nog steeds beschermen. Mijn familie draagt eerdere littekens van kanker; dit moet de laatste keer zijn. Toch heb ik het gevoel dat ik het op de een of andere manier had moeten zien aankomen. Dat ik meer had moeten doen. Bescherming houdt meer in dan het gevecht; het gaat ook over preventie. En in dat opzicht heb ik al gefaald. Nooit meer.

Ik zal de belofte houden die ik meer dan zes jaar geleden maakte toen ik haar voor het eerst vasthield. Het is de taak van een vader om te beschermen.

Gracie en Elena zijn meer dan alleen zussen, ze zijn ook beste vriendinnen. Omdat er maar tweeëntwintig maanden tussen zitten, delen ze meer dan kleding, speelgoed en hobby's; ze delen ook hun leven. Zo hebben Brooke en ik vanaf het begin gewild dat het zou worden. Omdat we beiden uit gezinnen komen waar er drie of meer jaar tussen de kinderen zat, hadden we het gevoel dat het voor onze kinderen leuk zou zijn als er twee jaar of minder tussen zou zitten. Wisten wij veel dat we het bij het juiste eind hadden.

Met tweeëntwintig maanden had Elena geen idee hoe ingrijpend haar leven zou veranderen, maar ze wist wel dat ze nu een grote zus was. Trots droeg ze haar badge met 'Ik ben een kersverse grote zus' in het ziekenhuis,

kweet ze zich van haar taak om de fles te geven en gaf ze haar eigen kamer en haar speelgoed op voor het nieuwe gezinslid. En ook al bleef hun spel urenlang beperkt tot het kleed in de woonkamer, de dag dat we Gracie voor het eerst hoorden lachen, realiseerden we ons dat ze zielsveel van elkaar zouden houden. Ongeveer een half jaar na haar geboorte troffen we Gracie giechelend aan in haar stoeltje terwijl Elena om haar heen danste en gekke gezichten trok. Dat is sindsdien wel anders. Nu doet Gracie dagelijks iets voor Elena terug met haar capriolen en aanstekelijke glimlach.

Vandaag was Gracie de komiek en Elena de troostende moeder. Vanmorgen nog, toen Gracie boven in toorn ontstak vanwege haar kledingkeuze en Brooke en ik op het punt stonden om het bijltje erbij neer te gooien, klom Elena rustig naar boven om haar zus tot bedaren te brengen. Vijf minuten later kwam ze hand in hand met Gracie naar beneden, terwijl ze tegen ons opmerkte dat Gracie er deze ochtend zo geweldig uitzag en haar jongere zusje de tranen van haar wangen veegde. Elena was er niet alleen in geslaagd om haar te kalmeren, maar had haar ook precies die kleren aangetrokken waar wij haar twintig minuten eerder tevergeefs in hadden proberen te krijgen.

Vrienden hoeven niet op elkaar te lijken om met elkaar overweg te kunnen. Soms komt het juist door de verschillen dat er een vriendschap opbloeit. Ook bij Gracie en Elena zijn het de verschillen waardoor ze perfect bij elkaar passen.

DAG

KEITH **94** BROOKE

2 maart

Wij noemen het 'rauwe ogen'. Het moment 's ochtends waarop je wenste dat je de avond tevoren eerder naar bed was gegaan. Bij de meeste mensen gaat het over na het eerste kopje koffie of het douchen. Voor Brooke en mij gaat het de hele dag door, en ook nog de dag erna. En het is meer dan gewoon slaapgebrek; het is een vermoeidheid en een uitputting die bij ons leven zijn gaan horen.

Na de diagnose konden we niet slapen. We probeerden het elke nacht weer, maar lagen van middernacht tot vier uur 's ochtends naar het plafond te staren, ons afvragend hoe we wakker konden worden uit deze nachtmerrie. Nu is het anders. Nu kúnnen we wel slapen, maar willen we niet. Dat is de nieuwe norm. Als we niet werken, eten of tijd met de meisjes doorbrengen, lezen we e-mails van andere ouders, zoeken we op internet naar protocollen of lezen we iets van de stapel literatuur over oncologie. En als de klok ongeveer elf uur in de avond aanwijst, zijn we nog maar net begonnen. Dus zetten we onze wanhopige zoektocht naar opties voort. De artsen zeggen ons van de wittebroodsweken te genieten. Andere ouders van vroegere DIPG-kinderen* zeggen dat we ons moeten voorbereiden. Wij willen beide. En altijd is er de vraag: 'Waarom zij?' Daar doet het geloof zijn intrede. Maar in plaats van vragen met religie te beantwoorden, kiezen we ervoor te geloven dat de oplossing zich zal aandienen en dat slapen dus geen optie is. De 'rauwe ogen' blijven, dag en nacht. Dit is onze God.

DAG
KEITH *95* BROOKE

3 maart

Soms gebeuren dingen gewoon. Zonder reden, zonder consequentie. Soms heeft een dag gewoon geen moraal en verlopen dingen niet overzichtelijk en voorspelbaar. Gisteren was zo'n dag. Het begon ermee dat de gezinsleden ieder aan andere kanten van het land zaten. Gracie was nog steeds ziek thuis, herstellende van een griep. Ik was op weg naar huis van een zakenreis naar Californië. Mama was thuis bij de meisjes, worstelend om de balans tussen werk en gezin te vinden. Elena voelde zich op school opeens moe en kreeg hoofdpijn. De rest moest nu wachten. Tegen twaalf uur 's middags kreeg Brooke een telefoontje van de kleuterschool dat Elena moe was en papa miste. Maar toen ze haar van school ophaalde, merkte ze dat Elena ook zware hoofdpijn had. En drie uur later, nadat ze

---

* Diffuus Intrinsiek PonsGlioom (hersenstamtumor)

haar iets had laten drinken, Tylenol had gegeven en in bed had gestopt, werd de hoofdpijn alleen maar erger. Daarop besloot ze naar de Eerste Hulp te gaan.

Een uur later verslechterde Elena's toestand. Haar rechterbeen begon weer te slepen, haar stem raakte vervormd en haar rechterhand functioneerde niet goed. Dat was slecht nieuws. Tegen de tijd dat ik arriveerde, drie uur later dankzij een vertraging op het vliegveld, stond er al een MRI-scan in de planning. Het goede nieuws was dat ze op eigen kracht door de MRI-scan ging, zonder verdoving, zonder problemen. Het slechte nieuws was dat de tumor de afgelopen maand was gegroeid. We zitten nu in wat ze een 'recurrentie' noemen, het einde van de wittebroodsweken.

Om te begrijpen wat dat betekent, moet je begrijpen wat we verwachtten. Vanaf het begin werd ons verteld uit te gaan van ergens tussen de drie en de zeven maanden na de laatste bestraling. Toen we meer gespecialiseerde artsen ontmoetten, werd dit nog verlengd van zeven tot veertien maanden vanaf de diagnose. Op zijn ergst hadden we de tumor pas eind april terug verwacht. Dan hadden we genoeg tijd gehad om alternatieven te beoordelen, resultaten af te wegen en tijd met onze dochter door te brengen; als je drie maanden na de bestraling genoeg tijd kunt noemen. En als de tumor op de een of andere manier zou groeien, zou het een geringe groei zijn. Maar niets van dat alles. Een maand na de laatste bestraling was bij lange na niet genoeg. Erger nog, de tumor leek niet slechts weinig te groeien, maar leek ook niet zelfs maar te reageren op de chemotherapie. Niets kan uiting geven aan onze gevoelens en ik zal het ook niet eens proberen.

Wat nu? Het duurt weken om de meest veelbelovende protocollen op te stellen en ik betwijfel of we wel twee weken hebben. We zijn niet snel genoeg te werk gegaan, dat is een ding wat zeker is. Onze keuzes zijn beperkt en ons begrip van deze ziekte is minimaal. Misschien hebben we de beste kans laten lopen om de kanker te verslaan.

Er is zoveel werk te doen, zowel voor ons als voor Elena. We hebben meer tijd nodig. Vandaag kan er een wonder gebeuren, de genezing start nu. Morgen zou het wel eens te laat kunnen zijn. Ik houd van je, Elena.

Welkom in het 'grijze gebied'. De deskundigen kunnen niet zeggen of de groei in dit gebied een zwelling is door de bestraling of dat het een progressie betreft. Ons team heeft besloten dat de groei klein genoeg was om hem stabiel te noemen. Elena werd maandag ook wakker met koorts en hoofdpijn, dus misschien werden alle symptomen wel veroorzaakt door een griep en niet zozeer door het gezwel. We zouden dolgraag geloven dat dat alles was. De volgende maand hebben we een volgende MRI-scan, waar we heel zorgvuldig naar gaan kijken. We hebben ook groen licht gekregen om door te gaan met ons voedingsplan voor Elena. Zolang het natuurlijk is, kunnen we het haar geven.

Vandaag leek Elena tijdens de lunch de diagnose voor haar hoofdpijn te hebben gevonden. 'Mam, ik had drie weken geen hoofdpijn en een week wel.' Briljant. Drie weken lang nam ze haar chemotherapiemedicijnen. Deze week had ze 'vrijaf', dus slikte ze geen medicijnen. Misschien zijn het ontwenningsverschijnselen! Ik heb een e-mail naar onze arts gestuurd om te horen of ik haar vast moet inschrijven voor een studie geneeskunde. Elena blijft me dagelijks verbazen met haar intelligentie en haar vermogen om de ingewikkeldste situaties te vereenvoudigen. En hoewel ze haar graad in de geneeskunde nog niet heeft behaald, kijkt ze het vak zo veel mogelijk af van de verpleegkundigen.

Vandaag, toen het zoals elke maand tijd was om haar port-a-cath te spoelen, deelde ze de verpleegkundige rustig mee dat die een belletje in de spuit had gemist, maar dat ze hem omhoog kon houden en er een beetje vloeistof aan de bovenkant kon uit spuiten om het kwijt te raken. De verpleegkundige keek naar mij, naar Elena aan en naar de spuit. Elena had gelijk, er was geen twijfel mogelijk. Elena gebaarde nog eens naar de spuit die de verpleegkundige in haar hand hield voor het geval ze haar niet helemaal had begrepen. 'Wauw, ze is wel opmerkzaam hè?' merkte de verpleegkundige op, die de spuit schoonmaakte en doorging. Ik vroeg Elena of ze later arts of verpleegkundige wilde worden. Ik geloof niet dat ik haar eerder zo snel 'nee' heb zien schudden. Misschien kunnen we haar er nog van overtuigen een geneesmiddel tegen kanker te vinden voor ze profvoetballer wordt.

DAG
KEITH **98** BROOKE

6 maart

Abnormaal. Zo noemen ze Elena's tumor. Normaal zou je als ouder angstig worden bij de gedachte dat je kind een abnormale tumor heeft. Bij 'abnormaal' stel je je immers voor dat de groei instabiel en afwijkend is en dat de ziekte onbehandelbaar is. En hoewel sommige van die dingen kunnen kloppen, betekent 'abnormaal' voor ons ook hoop. Je moet weten dat 'normale' hersenstamgliomen namelijk weinig kans bieden op overleving; er is geen behandelprotocol en heel veel wanhoop. Dus 'abnormaal' moet dan toch het tegenovergestelde zijn van wanhoop?

Vanaf het begin hebben ze haar tumor abnormaal genoemd, en hoewel 'abnormaal' onzekerheid en angst oproept, geeft het ons ook hoop dat dit op de een of andere manier een tumor is die niemand ooit eerder heeft gezien. Ja, we hopen echt dat dit een tumor is die *niemand ooit eerder heeft gezien*. Stel je voor.

Misschien, heel misschien, betekent 'abnormaal' ook dat het te genezen is. De 10 procent kinderen die deze ziekte overleven moeten toch zeker ook abnormale tumoren hebben gehad. We kunnen het alleen maar hopen.

DAG
KEITH **101** BROOKE

9 maart

De afgelopen paar dagen voert Elena gesprekken met vrachtwagenchauffeurs. De stemmen zijn niet helder, maar soms vangen we een liedje op of een vraag naar het verkeer uit haar walkie-talkie van Hello Kitty. Misschien is een walkie-talkie niet het beste speelgoed voor een zesjarige, maar wij dachten steeds dat ze signalen ontving van een kind ergens uit de straat. Tot het moment waarop ze het apparaat meenam tijdens ons reisje naar een interieurbeurs. We waren net op de snelweg toen het kwartje eindelijk viel want het signaal werd steeds sterker en haar vragen als 'Wie is dit?' werden beantwoord met namen als 'Tina Ray', 'Big Mac' en 'Diesel Duo'.

Wisten zij veel dat de persoon aan de andere kant een Hello-Kitty-radio had van vijfentwintig dollar en niet geïnteresseerd was in het ongeluk bij de brug op weg naar het zuiden. Toch bleef Elena praten, vragen stellen en verkeersinformatie doorgeven terwijl wij vrachtwagens op weg naar het noorden inhaalden. Als een herder die zijn vee bijeendreef, stuurde ze hen naar rijstroken links en rechts, ook al had ze geen flauw idee welke banen verderop vaststonden. De file heeft die avond dankzij onze kleine meid vast een uur langer geduurd. En tegen de tijd dat ze erachter kwamen, waren wij er vandoor.

DAG 102

KEITH BROOKE

10 maart

Ik zal nooit meer gewoon naar een hotdog kunnen kijken. Pas wanneer je vecht voor het leven van je kind, slechts gewapend met een pot en een spatel, begin je eigenlijk te vrezen wat er nou precies in elke hap zit. Ik zit elke avond ten minste een à twee uur te lezen over voedingsstrategieën voor Elena. Zolang het natuurlijk is, mag het en de lijst met heilzame voeding is eindeloos.

Het is een kunst geworden om zoveel mogelijk gezonde ingrediënten in een maaltijd te verwerken. Rijst en groente kook ik in groene thee om haar dieet stiekem nog wat te verrijken. Ik ben er zeer vaardig in geworden shiitake-paddenstoelen in minuscule stukjes te snijden en ze in haar avondeten te verstoppen. Maar ik moet uitkijken, want Gracie is verschrikkelijk allergisch voor paddenstoelen. Ik maak ook vaak twee afzonderlijke schotels klaar zodat Gracie geen nare uitslag krijgt. Elena kreeg me op een dag door omdat ik een snoekduik maakte om een bord uit Gracies handen te grissen toen ze tijdens het avondeten een keer op Elena's stoel was gaan zitten.

Op sommige avonden verlang ik naar mijn gemaksvoedsel, rijst uit pakjes, kipnuggets, mijn maaltijden van een kwartier, mijn schoollunch, avondjes in een restaurant waarbij ik het menu niet hoef uit te pluizen! Ik vind het vreselijk dat ik opa's en oma's moet vragen het snoep mee terug te nemen dat ze voor de meisjes hadden gekocht of mijn broer te verzoeken geen hamburger voor zijn dochter te bestellen omdat Elena er anders ook een wil. Maar dan realiseer ik me dat dit de enige strijd is die ik nu voer. Volgende week staat er rozemarijntofu met look op het menu, gesauteerd met knoflook en limoenschillen… jammie!

DAG
KEITH **103** BROOKE

11 maart

Vandaag was het begin van Elena's wensreis, en deze keer wil ze terug naar Florida. Twee weken na haar diagnose belde de coördinator van de wensreizen op om haar de kans te bieden alles te doen wat ze maar wilde. Maar omdat onze toekomst zo onzeker was, wilden we het helemaal niet over wensen hebben. Het kon niet gek genoeg: ze mocht zwemmen met walvissen, naar de echte Eiffeltoren gaan, wat ze maar wilde. Na twee weken soebatten koos ze dan maar voor zwemmen met dolfijnen en zelfs dat was eigenlijk Gracies input geweest. Dat toont maar weer aan hoe eenvoudig Elena's wensen zijn. Ik realiseer me terdege dat die eenvoud heel waardevol is in een periode in haar leven waarin controle essentieel is, maar vraag me tegelijkertijd af of haar idee van een vakantie ooit verder zal strekken dan Florida. Zou ze meer waardering opbrengen voor de Grand Canyon in het westen, de walvissen in het oosten en alles daartussen als we haar meenamen naar een andere plek? Ze is immers al in Disney World en SeaWorld geweest. Toch is dit haar reis en onder de omstandigheden is het een eenvoudige reis. Ze heeft nog nooit met dolfijnen gezwommen,

dus dat zal in ieder geval een nieuwe ervaring voor haar zijn. Morgen wordt vast de beste dag.

Voor Brooke en mij heeft deze vakantie een heel andere betekenis. Deze trip bezorgt ons gevoelens van aarzeling en melancholie, gepaard met pure en complete uitputting. Ik realiseer me op dit moment dat ik te moe ben om te slapen en te hongerig om te eten. In plaats van te hunkeren naar koekjes en mijn hoofdkussen, verlang ik naar het moment dat ze volledig in remissie is en ik kan uitrusten. Zodra ik ermee kan stoppen elke seconde van het leven te ervaren en het kan gaan leven.

Ons uitstapje naar Orlando is ook veelbetekenend omdat het onze laatste geplande vakantie in de nabije toekomst is. Voor de kanker was dat niets bijzonders; we gingen niet vaak op reis en planden de vakanties nooit eerder dan drie maanden van tevoren. Maar omdat dit mogelijk Elena's laatste vakantie is, ben ik zo angstig dat ik niet wil dat hij begint.

Als de vakantie niet begint, kan er ook geen einde aan komen, toch? Twee weken geleden, toen we voor de laatste keer op het perron van het treinstation van Disney World stonden voordat we weer naar huis gingen, drong het tot Brooke en mij door. Daar realiseerden we ons dat het onmogelijk is de tijd stil te zetten, hoeveel je ook van je kinderen houdt. Je maakt foto's, droogt de tranen, herbeleeft de momenten en hoopt dat je ze nooit zult vergeten. Maar aan het eind van de dag kijk je vooruit, stop je met denken en blijf je bewegen, want dat is de enige manier om te overleven. Dat is uiteindelijk waar het om draait wanneer je met een terminale ziekte te maken hebt; je handelt in het heden en gaat maar door uit angst dat je anders nooit terug zult kunnen. En morgen begin je weer helemaal opnieuw. Het is een soort uitputting waar je niet van kunt uitrusten en een gevoel dat je nooit zult vergeten.

Deze keer wil ik dat de vakantie perfect is. Tot dusverre is hij dat ook. Geen enkele frons, traan of gemist moment. Het is een onmogelijke missie, maar toch is het onze missie. Het leven moet je leven, dat weet ik. Het leven gaat over het goede en het slechte. Het leven gaat over nu. We zullen leven wanneer we thuis zijn en we zullen leven wanneer we in Orlando zijn. Voor ons zal het elke minuut zijn tot we uiteindelijk in slaap vallen achter de computer of aan het voeteneinde van haar bed. Die dingen kunnen we net zo goed in Orlando als hier. Kom maar op met die dolfijnen!

DAG

KEITH **104** BROOKE

12 maart

Dolfijnen voelen aan als enorme rubberbanden. Dat zegt Elena althans nu ze met ze heeft gezwommen. Hoewel ze beweerde dat gisteren de beste dag van haar leven was toen we op papa en Gracie zaten te wachten, liet ze me weten dat vandaag de beste dag van haar leven was en dat ze *hiervan* had gedroomd. Ik moet toegeven, hij stond bij mij in de topvijf aller tijden. Het is nergens mee te vergelijken wanneer je je dochter vasthoudt terwijl die een ongelofelijk avontuur beleeft.

De dag begon in de rij om een pas te bemachtigen terwijl Elena steeds vroeg: 'Mogen we al?' Haar stem leek vandaag wel sterker. Wachtend tot de fotograaf een foto van ons had genomen: 'Mogen we al?' Tijdens de rondleiding door het park: 'Mogen we al?' We kregen wetsuits en maskers aangemeten: 'Mogen we al?' En toen we eindelijk bij de rand van het koraalrif waren aangekomen, met de snorkelspullen in de hand, en Elena de eerste stap in het water zette, schreeuwde ze: 'Ik wil niet!' Het water had een straffe temperatuur van 22 graden; en zelfs voor bleke inwoners van Ohio op voorjaarsvakantie is dat te koud. Dus na ongeveer vijf minuten te hebben gejammerd dat ze niet dood wilde vriezen, raakte ze gewend aan de kou en vond ze een nieuw onderwerp om over te zeuren: 'Ik wil niet dat de vissen me aanraken.' Ik besloot dat het tijd was om haar eraan te herinneren dat ze over drie uur een vis van 200 kilo zou gaan aanraken. Na tien minuten had ik haar overtuigd en snorkelden we rond in het halve meter diepe zanderige water, terwijl we guppen van vijf centimeter bewonderden. Een kwartier later dreven we en raakten onze knieën de 'zeebodem' toen we op weg gingen naar het diepe stuk.

We boden vast een interessante aanblik met twee spartelende en schreeuwende meisjes op mijn en Keiths rug terwijl wij wanhopig zonder zwemvest in het 4,5 meter diepe water probeerden te zwemmen. Maar toen gebeurde er iets magisch, Elena veranderde opeens in een snorkelkoningin. Hoewel, toen ze de pijlstaartroggen zag, hoorde ik toch echt verstikte kreten door haar snorkel komen, maar ze hield haar hoofd naar beneden en zwom in tegenovergestelde richting. Toen ik de pijlstaartrog zag, rukte ik mijn masker af om wild naar het ondiepe stuk te zwemmen. Elena was weer in haar element. In Tennessee had ze vaak uren achter elkaar gezwommen zonder moe te worden en vandaag was ze zo goed als nieuw.

Na een snelle lunch waarbij Gracie stond te swingen op de muziek van de reggaeband gingen we op weg naar de dolfijnen. Helaas was Gracie te klein om te zwemmen, dus ging Elena samen met mama. Terwijl we centimeter voor centimeter het water in gingen (het was nog steeds een ijzige 22 graden, niet zo warm als je zou denken!) begonnen de dolfijnen om ons heen te zwemmen en spetteren. Elena zei: 'Kijk eens hoe blij ze zijn; ze weten dat ik van dolfijnen hou dus zijn ze helemaal blij om me te zien!' De trainers vertelden ons interessante dingen over dolfijnen waar Elena niet naar luisterde, want ze mocht – gillend van verrukking – de dolfijnen Coral en Roxy aaien.

Nu was het tijd voor het ritje op de dolfijn, de enige activiteit waar Elena niet bang voor was. Coral nam Elena mee op sleeptouw en ging daarbij niet in een rechte lijn naar de trainer, maar zigzagde door het water. Elena vond het heerlijk! Pas toen we klaar waren, realiseerde ik me dat Keith en Gracie weg waren. Gracie moest blijkbaar vlak voor het ritje op de dolfijn naar de wc. Papa was een tikje teleurgesteld. Gelukkig was er een professionele filmer die het moment voor slechts vijftig dollar exclusief btw vastlegde.

Die avond vertelden we elkaar aan tafel bij het ijs over de ervaring van ons leven en keerden terug naar het hotel om naar de video van vijftig dollar te kijken. Daarna stopte ik Elena in, die fluisterde: 'Meer had ik niet te wensen.' Dat was voor mij genoeg.

i love
you
Mom
Elena

i Love
Yuo
Mom
DAD
Grace

MoM
I love Yo
Mem

DAD

i love you
DAD
MoM
GRACE
Elena

i love
MoM
DAD
GRACE
Elena

MoM
DAD
and
Grace

love
i
you

DEEL 3

Leven na de progressie

Ze zeggen dat Elena's symptomen niet zullen variëren. De artsen zeggen dat als haar stem minder wordt en het lopen moeilijker, dit constant en onveranderlijk zal zijn. Vandaag moest ik daar wel aan twijfelen. Na een spectaculaire dag gisteren waarop we door Disney World zijn rondgereden, werd Elena vanmorgen fluisterend wakker en had ze problemen met haar voet. Eerst dachten we dat ze gewoon aandacht wilde, dus negeerden we haar toen ze om meer sap gebaarde en dwongen we haar te praten. Dat probeerde ze ook, maar het kostte haar zichtbaar moeite. Toevallig is vandaag de derde dag na haar laatste dosis steroïden.

Brooke zegt dat ik niet moet verwachten dat Elena volledig zal herstellen. Dat een stokkende stem en een iets slepende gang de minste van onze zorgen zijn bij deze soort kanker. Het ergste is dat ik weet dat ze gelijk heeft. Toch is niets moeilijker dan te zien dat je kind het slachtoffer wordt van iets waar jij en zij geen controle over hebben. Voor vaders is alleen de volmaakte gezondheid van hun kind acceptabel. Is dat immers niet het geschenk aan de jeugd, een volmaakte gezondheid en een leven vol kansen? Maar bij Elena zijn beide weggenomen.

Toch moeten we positief blijven en ons op het heden concentreren. Elena weet wel beter. Ze staat elke ochtend op met een glimlach, maar valt ten prooi aan een depressie zodra ze uit bed stapt en zich herinnert dat haar voet niet hetzelfde werkt als voorheen. Dit is duidelijker dan ooit want we slapen deze vakantie bij haar op de kamer en zien haar reacties. En als ze zich naar ons omdraait om goedemorgen te zeggen, slaat haar glimlach snel om in verdriet want ze moet haar begroeting met gebaren overbrengen omdat we haar woorden niet verstaan. Vanaf dat moment is de dag gevuld met depressie en frustratie, of ze nu haar ontbijt probeert te eten of ons probeert duidelijk te maken wat ze wil aantrekken en wat ze wil doen. Tijdens de lunch is ze moe, chagrijnig en boos. Bij het avondeten kan ze nauwelijks iets naar binnen krijgen en wil ze alleen nog maar naar bed. Niet omdat ze niet kan eten maar gewoon omdat ze niet meer wil vechten. Vanavond ging het ook zo; we probeerden haar tot zeven uur op te houden en haar buik te vullen. Vandaag heeft ze een gekookt ei en een half worstje op. Iedere andere poging werd begroet met tranen.

Dit is zeker niet onze moeilijkste strijd en zowel Brooke als ik weten dat we nog maar aan het begin staan. Maar hoe vertel je een zesjarige dat ze moet doorgaan als ze alleen maar wil stoppen? Om haar iets van controle te geven, laten we haar dagelijkse keuzes maken zoals haar kleding, haar activiteiten en haar eten maar ook dat levert tranen op. Vanavond kon de biologische voeding ons gestolen worden, we wilden alleen maar dat ze iets van greep op de situatie kreeg door het maakte niet uit wat te eten. Junkfood was ook goed geweest. In plaats daarvan wilde ze ontbijten bij Denny's, maar ook daar moesten we haar dwingen om meer dan drie happen van haar ei te eten.

Vandaag was geen goede dag; hopelijk is morgen beter. En nu er regen op komst is, gaat ons uitje misschien niet door. We zouden er met kajaks opuit gaan om naar de zeekoeien te gaan kijken. Het was leuk op het strand vandaag, maar er stond veel wind en het was 21 graden, dus langer dan een halfuur hielden we het niet vol met al dat stuifzand en trokken ons terug in de warmte van de hotelkamer. Het was niet wat we gepland hadden en omdat ze al zo gefrustreerd is ook niet echt goed voor haar. Troost, ontspanning en controle zijn sleutelwoorden om haar zelfwaardering terug te krijgen.

DAG

KEITH **108** BROOKE

16 maart

Elena is altijd de verzorgende geweest en Gracie de entertainer. Als er baby's, puppy's of jonge poesjes in het spel waren, werden Elena's ogen groot van ontzag. Gracie had er geen aandacht voor; die had geen interesse in wie jonger was dan zijzelf of alleen maar pluizige overredingskracht had. Na de diagnose maakten Keith en ik ons ernstig zorgen over hoe het voor

Gracie zou zijn als er opeens veel meer belangstelling voor Elena was. Gracie heeft altijd verlangd naar een plekje op het podium, terwijl Elena het liefst ergens in haar eentje zit te tekenen of te lezen. Maar het lot dwong hen beiden in een rol waaraan ze niet gewend waren en die hen niet beviel.

Na drie maanden in haar nieuwe rol heeft Elena geleerd dat ze alleen maar hoeft te glimlachen en zich achter mama of papa verstoppen, dan zal de aandacht vanzelf weer naar iets anders verschuiven. Gracie had meer moeite met de nieuwe norm.

Toen Elena's rechterkant vandaag steeds zwakker werd, werd Gracie de beste van beide persoonlijkheden. Nadat Elena de hele dag was rondgereden in haar rolstoel, de voorste plek in de achtbaan had gekregen en wat suikerspin had mogen proeven (ook al waren Gracies twintig eerdere verzoeken om suikerspin te mogen beantwoord met een krachtig: 'Nooit van je leven!'), liep Gracie door het hele park, vroeg Elena of ze het fijn had gevonden, vooraan in de achtbaan, en bedankte ze haar zelfs toen ze een stukje suikerspin van haar kreeg.

Terug in de kamer begonnen Keith en ik met inpakken, terwijl de meisjes zich klaarmaakten voor het avondeten. We vingen een verbazingwekkend gesprek tussen de dames op. Elena mokte dat ze haar haar nog wilde kammen en dat we gingen eten. Gracie sprak heel rustig tegen Elena, met de beheerste stem van een ervaren onderhandelaar. 'Maak je geen zorgen, Elena. Mama kan je haar in een paardenstaart doen, dan raakt het niet in de war. Wil je dat?' En daarna vervolgde ze: 'Wil jij vanavond het restaurant uitkiezen, Lena? Van mij mag jij het restaurant uitkiezen waar je wilt eten. Word je daar blij van, Lena?' Ze bood zelfs aan Elena's nieuwe felbegeerde dolfijntasje vast te houden toen Elena worstelde om in het busje te stappen.

Verdwenen is het gekibbel – oké, het voortdurende gekibbel – en nu hebben we twee zeer volwassen kleine dames in ons midden. Kijkend naar Gracie vroegen we ons altijd af of ze wel ooit zou opgroeien met haar gekke fratsen en aanstekelijke lach, maar ze heeft het veel sneller gedaan dan we ooit voor mogelijk hielden. Door Elena's conditie heeft ze de rol van grote zus op zich genomen. Ik ben onder de indruk van de onzelfzuchtigheid die ze deze reis heeft getoond. Ze wist dat deze reis voor Elena was en ze heeft niet één keer geklaagd dat we niet deden wat zij wilde.

Vanavond pas vroeg Gracie heel lief of we thuis een keertje konden gaan midgetgolfen, omdat ons uitje naar de mooie midgetgolfbaan in hartje Orlando vanwege Elena's uitputting niet was doorgegaan. Morgen gaan we terug naar huis.

Ergens ben ik dankbaar voor de nieuwe verlichting en de hoop dat Gracie om zal kunnen gaan met de toegenomen aandacht voor Elena. Maar ik ben ook bang voor hoe deze nieuwe en volwassen Gracie zal omgaan met wat het ook is dat eraan zit te komen. Het was eigenlijk ook gemakkelijker dat de meisjes liepen te kibbelen dan dat ze zo afhankelijk van elkaar zijn. In een nieuwe wereld waar onze meisjes veel te snel moeten opgroeien, ben ik trots dat ze mijn dochters zijn.

DAG
110 KEITH BROOKE

18 maart

Vier maanden geleden was 'kieteltijd' gewoon een ritueel voor ons. Het was de tijd aan het eind van de dag waarop ik de meisjes naar boven joeg en ze de trap op volgde naar hun bed om ze te kietelen en in te stoppen. Gracie speelde altijd het slachtoffer, die deed alsof ze struikelde op de trap zodat zij als eerste gepakt werd en het meest gekieteld werd. Elena, ook niet vies van een beetje competitie, ging dan racen om als eerste in bed te liggen en Gracie de loef af te steken met haar overwinning. Aan het eind van de avond, nadat de deuren dicht waren en de lichten uit, riep ze me terug om me kalmpjes mee te delen dat Gracie meer gekieteld was dan zij en dat zij er recht op had omdat ze als eerste in bed had gelegen. Natuurlijk kwam ik haar dan maar al te graag tegemoet.

Tegenwoordig houdt ons avondritueel veel meer in dan simpel kietelen en een nachtkus. Eerst moeten we lezen. De boeken van Junie B. zijn nog steeds favoriet, zolang mama voorleest. Ik ben verantwoordelijk voor de voetmassages. Daar zul je wel geen accent voor nodig hebben. Gracie kunnen we natuurlijk niet overslaan, dus krijg ik nog een paar voeten onder behandeling. Ik verwacht dat Brooke ieder moment gaat vragen of ik de hare ook wil doen.

Dan is er nog het heilige water. De eerste maand ging dat met liters tegelijk. En ook al zal ik nooit beweren dat ik de meest religieuze persoon in de buurt ben, ik geloof wel dat het iets doet. En met vier soorten heilig water uit plaatsen waarvan ik vóór deze hele heilige ervaring niet eens wist dat ze bestonden, hebben we nogal een selectie om uit te kiezen. Dus gaan we van fles naar fles en gebruiken we soms alle vier de soorten afhankelijk van haar stemming die dag en onze emotionele staat. Ik heb geen idee hoe je het moet toepassen, maar het leek me het beste om het zo dicht mogelijk bij de tumor te doen, dus gaat het water over haar nek. Vanavond zag Gracie wat ik deed en nu krijgt zij ook een portie heilig water over haar nek heen. Ik vraag me af hoe lang het duurt voor ze ook Elena's chemotherapiebehandelingen wil ondergaan.

Tot slot is er ook nog kieteltijd. Elena ligt altijd als eerste in bed en Gracie valt nog steeds op de grond zodat ze als eerste gepakt wordt. Ik vraag me vaak af of dit misschien de meest effectieve behandeling van allemaal is. Ik weet dat het er een is die ik nooit zal vergeten. Een succesvolle behandeling moet namelijk meer inhouden dan alleen de behandeling van de tumor; ook de patiënt moet behandeld worden. En niets doet Elena breder glimlachen dan een portie kieteltijd. Natuurlijk glimlach ik dan ook. Sorry Gracie, Elena was eerder.

DAG

KEITH **111** BROOKE

19 maart

De gebarentaal is terug. Nu Elena's stem steeds vaker wegvalt en haar spraakvermogen afneemt, valt ze weer terug op gebaren en spellen. En ook al heeft ze de slapte van haar rechterbeen aardig verborgen weten te houden, we maken ons nu zorgen om haar spraak en haar slikreflex. Maaltijden zijn geen gemakkelijke opgave omdat de porties in kleine stukjes moeten worden gesneden en ze hard voedsel is gaan vermijden uit angst om te stikken. We zijn nog niet terug bij ijs met appelsaus, maar het is op zijn zachtst gezegd ontmoedigend. Zowel Brooke als ik bid dat het nog steeds de zwelling is en geen progressie. Aangezien de MRI-scan gepland staat voor de eerste week van april zullen we het spoedig weten.

DAG

KEITH 113 BROOKE

21 maart

Ons leven is een web van tegenstellingen geworden. Een paradox van wat er nu is en wat eraan gaat komen. Het was een prachtige dag. Zonnig, warm en een zweem van lente dankzij de bloembollen die door de verbouwing van ons huis boven de grond komen. Iedere andere dag zou het perfect zijn geweest. Brooke en ik maakten gebruik van de gelegenheid om de meisjes vroeg van school te halen. Thuis genoten we van de namiddag in de achtertuin, we duwden de meisjes op de schommel en speelden 'McDrive' met ze door de raampjes van het speelhuisje. Het was de eerste keer dat we weer echt in de achtertuin waren sinds oktober, toen ons leven nog zo eenvoudig was. En dat hadden we nu nodig. Elena en Gracie klommen, schommelden en oefenden met het gooien van muntjes, terwijl Brooke en ik verlangden naar onschuld, gelukzaligheid en idealisme. Samen met een vriendinnetje aten ze crackers en lieten ze hun speelgoedvlinders los in de lucht, en in de tussentijd keek ik met angst en beven naar elke stap die Elena zette. We hoopten dat haar slepende tred gewoon zou verdwijnen en dat we ons weer druk konden maken over muggenbeten. Was dat toen even pech.

Vandaag was Elena's stemming beter, maar haar conditie slechter. De slepende tred en het verlies van haar stem waren verergerd en gingen nu vergezeld van een lichte hoofdpijn, kwijlen, moeite met slikken en dubbelzien, alle symptomen die we eerder zagen. En hoewel we nog steeds hopen dat dit het resultaat is van de zwelling die de bestraling veroorzaakte, moeten we onze ogen steeds meer openen voor de realiteit dat het progressie kan zijn en dat onze resterende tijd misschien geen maanden, maar weken zal beslaan.

Mensen vragen ons hoe het gaat. We zeggen: 'Goed,' maar vandaag kunnen we dat niet meer zeggen. Als ze het dan nog een keer vragen, weten we dat ze het echte antwoord willen. We schudden ons hoofd, halen onze schouders op en mompelen: 'Ach.' Het zal er wel op neerkomen dat zij het niet weten en wij er niet aan herinnerd willen worden. Dus gaan we door met onze dagen en putten we troost uit onze gewoonten. Het zijn de simpele dingen die ons aan de gang houden. De was opvouwen. De vaatwasser leegruimen, besprekingen voeren, klanten bellen; afleidingen waar we ons nauwelijks op kunnen concentreren maar die ons in staat stellen om te functioneren. En gedurende een minuut of zelfs maar een uur richten je gedachten zich niet op de toekomst, hoewel je hart je altijd aan Elena zal herinneren. Hoe het gaat? Goed, zolang we maar door blijven gaan. Zolang Elena maar door blijft gaan.

Morgen zal 'goed' niet meer volstaan. Elena zal nog een MRI-scan ondergaan. Deze was niet gepland. Door de symptomen die ze sinds kort heeft, vermoeden we dat de tumor groeit. Wat nu? Als het progressie is, houden we dan vast aan de chemotherapie? En als we dat niet doen, welke keuze hebben we dan? Misschien zijn er pas over een maand andere protocollen beschikbaar, slaan we dan een holistische weg in? Vandaag zijn er geen favoriete opties, omdat niemand het weet. Dit is het deel van de geneeskunde waar het niet langer over wetenschap gaat en waar je dichter bij het geloof komt. Maar wat is geloof eigenlijk? Is het geloof waardoor we de juiste beslissingen nemen of geloof dat het in Gods handen is? En hoewel we niet kunnen weglopen voor de beslissing, realiseren we ons steeds meer hoe weinig invloed we hebben op Elena's situatie en hoeveel er is wat we gewoon niet kunnen oplossen. Ik ben daar niet tevreden mee, maar dat doet er niet toe. Nogmaals, we hebben er weinig controle over en dat moet ik accepteren. Toch weet ik op de een of andere manier dat Elena zoveel meer zou kunnen als ze de kans kreeg, en ik bid dat we die kans krijgen.

Uiteindelijk zullen we deze beslissing nemen en waarschijnlijk doen we dat morgen. Verder zal God ons de weg wijzen. Hopelijk geeft Hij ons en

Elena en onze familie de kans om meer voor de bestrijding van deze soort kanker te doen zodat alle kinderen ervan zullen kunnen genezen. Het enige wat we vragen is tijd en leiding. Er zijn niet genoeg zonnige dagen.

DAG
KEITH **115** BROOKE

23 maart

Dus zo voelt het. Ik heb drie maanden geleden al een voorproefje gekregen toen ze ons het nieuws van Elena's tumor vertelden. Uiteraard geloofden we er geen woord van. Toen ze ons gisteravond vertelden dat de tumor bijna twee keer zo groot was geworden, gingen we helemaal opnieuw van ontkenning naar angst en woede. Maar nu was het echt. Nu keek ik om me heen zonder iets te zien; ik hoorde wat ze zeiden zonder het te begrijpen;

en mijn handschrift werd gekriebel doordat mijn hand beefde van angst. En gedurende het hele consult kon ik alleen maar tegen mezelf zeggen dat ik ernstig moest kijken, me moest concentreren en blijven ademhalen. Ooit zou ik het gaan begrijpen. Ergens zou het logisch worden. Ja, het tumorgebied was gegroeid, maar wat dat betekende wist ik niet. Helaas heb ik vandaag, na gisteravond alles te hebben gelezen waar ik de hand op kon leggen, nog niet wat meer vertrouwen in onze beslissingen gekregen.

Nu moeten we ook Elena's kwaliteit van leven in overweging nemen. Riskeren we alles en gaan we voor nog een behandeling, ongeacht haar conditie? Kiezen we de veilige weg en proberen we het medicijn dat een extra week oplevert maar waarvan we weten dat het uiteindelijk niet zal helpen? Of geven we de moderne geneeskunde op, bieden we troost en proberen we het langs de natuurlijke weg? Alleen hebben we nooit voorzien dat we deze beslissing nu al zouden moeten nemen. Niet met onze dochter en niet vóór het tijdsbestek dat ze ons gaven toen ze voor het eerst gediagnosticeerd werd. Maar dit is een abnormale tumor, die een geweldige storm van kanker heeft ontketend. De ergste tumor, de minst begrepen soort, die op de ergste plek in het snelste tempo groeit, boven alle verwachtingen uit. Ik zou nu dolgelukkig zijn met normaal.

Wat doen we nu? Op maandag moeten Brooke en ik een beslissing nemen die we niet kunnen overzien en waar we niet klaar voor zijn. De deskundigen zeggen ons dat ze het gewoon niet weten, de rest zegt dat we ons hart moeten volgen. Ik heb geluisterd, maar mijn hart zwijgt in alle talen. Het doet alleen maar pijn. Ik heb altijd gedacht dat 'hartzeer' maar een uitdrukking was. Nu voel ik het elke dag. Het is een leegte in je borst die je probeert te vullen met werk, oppervlakkige humor en soms met eten, maar in de loop der tijd word je er steeds beter in het te negeren. Op dit moment probeer ik het steeds met hoop te vullen, maar zodra ik dat doe vertellen de artsen ons dat zij ook geen overlevenden kunnen vinden en is onze hoop meteen de grond in geboord. Hoe zit het met die 10 procent overlevingskans? Was dat dan maar een psychologische leugen om ons de afgelopen drie maanden in slaap te sussen? Had er dan 90 procent van gemaakt.

Dus we nemen een beslissing zonder ons te kunnen baseren op cijfers of andere informatie. Als wij geloven dat het de zwelling is, moeten we bij de chemotherapie blijven. Als we gelijk hebben, heeft ze nog een paar maanden. Als we ongelijk hebben, boft ze als ze nog twee weken blijft leven. Als we ervan uitgaan dat het progressie is, stappen we over op andere medicijnen. Als we dan gelijk hebben, zou ze nog een maand kunnen leven. Maar als we dan geen gelijk hebben en het kwam wel door de zwelling, verliezen we de paar maanden die we hadden gehad als we bij de chemotherapie waren gebleven en hebben we in plaats daarvan nog maar een paar weken. En hoewel het bij elke optie om weken gaat, zijn het kostbare weken. Er komen dagelijks nieuwe behandelingen en mogelijke geneeswijzen bij, en het is een kwestie van tijd voordat *de* remedie op een patiënt als Elena zal worden uitgeprobeerd. Dus op de lange termijn kan zelfs een week een heel leven schelen.

Alleen wij kunnen de beslissing nemen, maar nu proberen we zoveel mogelijk uit elk moment te halen.

24 maart

Vandaag sprak ik door de telefoon een andere vader. Zijn zoon is een jaar geleden gestorven en nu is hij lid van een exclusieve club, een club voor ouders van overleden kinderen. Hij zet zich in voor een goed doel en gebruikt daarvoor de tijd waarin hij voorheen honkbal speelde met zijn zoon, huiswerk met hem maakte of hem voor het eerst zonder zijwieltjes leerde fietsen. Dat doel heeft zijn leven en een leegte opgevuld. Het zal nooit zijn zoon vervangen, maar het gaat hem erom dat het volgende kind kan worden gered.

Hij zegt dat de dag waarop iedereen zijn zoon is vergeten de op een na zwartste dag van zijn leven zal zijn. Ik kan daar vandaag niet aan denken. Ik ben er niet klaar voor en ik wil helemaal niet bij die club. Ik wil geen doel, ik wil mijn dochter. Op de een of andere manier twijfel ik of ik wel de kracht en de toewijding zal hebben om dit gevecht te leveren mocht ik mijn Elena ooit verliezen. Voor mij gaat het over haar en niets anders. En ook al haat ik de tumor en veracht ik kanker, het zal nooit zo persoonlijk zijn als nu, bij mijn dochter. Misschien vergis ik me en ben ik over een tijdje als de persoon aan de andere kant van de lijn, maar nu luister en leer ik alleen.

We praten over research of het gebrek daaraan. Net zoals het dat voor ons is, was de kanker voor ouders vóór ons ook te persoonlijk en had die meer te maken met hun kinderen dan met een doel. En toen ze de strijd verloren, had de ziekte gewonnen. De overlevenden gingen door, onderzoekers vonden nieuwe specialismen om te bestuderen en een kind werd vergeten. En nu, vandaag, hebben we weinig keuze voor Elena. Daarom praat ik met een andere vader over de op een na ergste dag van zijn leven en niet over de hoop om een ander leven te redden.

Het is niet iemands schuld. Echt niet. We kunnen dit niet alleen; het werkt pas als we samenwerken met anderen. Maar ik ben even schuldig als ieder ander. En ik weet nog steeds niet of ik kan helpen. Ik kan nu alleen aan Elena denken. En juist op dat punt sta ik machteloos.

In plaats van het te hebben over het vergeten van onze kinderen, moeten we ermee beginnen ons hen te herinneren, ons hun offer te herinneren. Het zijn geen slachtoffers, het zijn vechters. Elena is een vechter en honderden andere kinderen die deze strijd dagelijks leveren, zijn dat ook.

DAG

117

KEITH · BROOKE

25 maart

Alles draait nu om de stille momenten. Omdat Elena's stem nog heel zwak is, trekt ze zich terug in haar schulp als we in een groot gezelschap of bij vreemden zijn. Ze knikt alleen met haar hoofd, dat is het ongeveer wel. Ze weet dat ze niet boven al die stemmen uit kan komen en dat vreemden haar niet kunnen verstaan, dus zegt ze maar helemaal niets. Op een van die stille momenten vroeg ze me of ze de muren mocht beschilderen. Ik weet niet goed waar die vraag vandaan kwam, maar van mij mocht ze haar gang gaan. Dus denkend aan de vier maagdelijk witte muren van het speelhuisje, die erom schreeuwden versierd te worden, gingen we op zoek naar oude kleren.

Ik had me nooit gerealiseerd wat een meisje-meisje Elena was, tot ze stond te huilen in haar slaapkamer omdat ze geen oude kleren aan wilde trekken. Ze wilde er mooi uitzien. Nadat ik haar ervan overtuigd had dat het maar voor even was, waadden we door de modderpoelen in onze achtertuin naar het speelhuisje dat papa had gemaakt in de dagen dat we nog vrije tijd hadden. We trokken blikken met felle kleuren open en de meisjes gingen aan de slag. Tien minuten later hadden ze er geen zin meer in, dus schilderde mama haastig bloemen en vogels en wolken om de lege stukken op te vullen. De meisjes stempelden hun handafdruk op alle muren en daarna haastten we ons weer naar binnen om de roze verf van Elena's handen te wassen omdat ze daar de zenuwen van kreeg. En dan te bedenken dat ze alle muren van het huis zou mogen beschilderen als ze maar de tijd had.

DAG

KEITH *118* BROOKE

26 maart

Er komt geen einde aan de emotionele achtbaan. Hoewel Elena's toestand elke dag beter is (dankzij een gezonde dagelijkse dosis steroïden waar zelfs een honkbalspeler van zou blozen) worden we voortdurend herinnerd aan de onzekere toekomst die voor ons ligt. We verwachten dat de verlamming vanaf morgen terugkomt en dat haar stem zwakker zal worden, omdat de dosis naar een hanteerbaar niveau moet worden verlaagd. Wanneer we daar eenmaal op zitten, gaan we er helemaal vanuit dat we er dagen, weken en hopelijk maanden en jaren mee door zullen gaan. Humeurigheid, op-geblazenheid en slapeloze nachten worden erger als het effect van steroï-den zich doet gelden.

De MRI-scan wees uit dat de tumor aan het zwellen/groeien was en we ontvingen een telefoontje van haar arts die wilde doorgeven wat zijn impressie was. Dit lang verwachte telefoontje was een bron van zorgen, niet alleen voor Brooke en mij vanwege de beslissing die we moesten nemen, maar ook voor iedere grootouder en familielid die ons elk uur belden voor de stand van zaken. En op de een of andere manier hadden we bedacht dat dit telefoontje van Elena's arts ons rust zou geven.

Wat we niet hadden verwacht was dat de arts zou zeggen dat ze het gevoel hadden dat de binnenkant van de tumor *misschien* aan het groeien was, maar dat die wellicht ook aan het afsterven zou kunnen zijn. Het kwam erop neer dat het dode deel van de zich uitbreidende celmassa de groei veroorzaakte die we hadden waargenomen. Vraag me niet hoe dat mogelijk is, daar zijn we nog niet uit, maar ik hoef niet te zeggen dat alles daardoor veranderde. Dus nu hebben we een opinie dat het progressie kan zijn en een andere dat het de bestraling kan zijn die dode-celgroei of celsterfte veroorzaakt. We staan nu precies in het midden. Een moeilijke beslissing is alleen maar moeilijker geworden. Het belooft een lange nacht te worden.

DAG
KEITH **119** BROOKE

27 maart

Hoeveel kost een glimlach? Precies 229 dollar exclusief btw. En je haalt hem bij de speelgoedwinkel in het gangpad van de fietsen. Vergeet je vrachtwagen niet mee te brengen, want ook als je de achterbanken en stoelen inklapt, past deze glimlach niet in een gewone auto. Bereid je dan voor op 'zelf te monteren'. Er zijn veel bouten, moeren en allerlei onderdelen nodig voor een glimlach. Natuurlijk houd je een extra schroef en bout over, maar maak je geen zorgen, je komt er heus wel achter waar die horen wanneer je de glimlach meeneemt voor een proefritje. Drie uur later komt hij te voorschijn. En de rest van de dag kun je je baden in de warmte van de glimlach.

Ik ben gezwicht. Hij is paars met roze, heeft vier wielen en een accu om vooruit te komen. Het is een Barbie Jeep en precies wat Elena altijd heeft willen hebben. Ondanks de steroïden lukte het me haar een of twee keer

te laten glimlachen. Jammer dat ik de camera ben kwijtgeraakt nadat ik ze had gefilmd. Ik hoop dat ik hem morgen terugvind, want anders wordt die glimlach nog duurder.

Dit dagboek wordt maar al te vaak gebruikt om 'laatste' dingen in vast te leggen in plaats van 'eerste'. Als je een strijd meemaakt zoals wij, ga je als ouder nu eenmaal zo denken. Je zegt tegen jezelf: 'Dit is de laatste keer dat ze in het huis van haar grootouders is,' of 'Dit is de laatste keer dat ze naar Disney World gaat,' of 'Dit is de laatste keer dat ze naar *De Notenkraker* gaat.' Zo bereid je jezelf voor op het ergste. Dan doet het minder pijn wanneer het ergste gebeurt. Als het niet gebeurt, zul je verbaasd zijn. In elk geval ga je niet dood van de pijn.

Toch komt het juist door deze dagelijkse gemoedstoestand dat je hoop en je leven kapotgaan. In plaats van over laatste keren te praten, moeten we over eerste keren praten: haar eerste stap, haar eerste keer op de fiets, haar eerste woorden. Waarom kan het daar nu niet ook over gaan: de eerste keer dat ze met dolfijnen zwom, haar eerste mooie jurk, de eerste keer dat ze van de waterglijbaan ging? Het is een veel betere manier om aan het leven te denken, althans als het lukt. Er is alleen hoop voor nodig.

Die hoop kreeg vandaag een knauw. We zitten op dag drie na het nieuws en Brooke en ik hebben nog steeds geen beslissing genomen over Elena's therapie. Niet omdat we dat niet kunnen of omdat we niet over alle informatie beschikken. Eigenlijk hebben we meer dan genoeg informatie en expertise aan alle kanten. We bevinden ons in de weinig benijdenswaardige positie dat we over Elena's lot moeten beslissen. Erger nog, er is niet één opinie die iets voor lijkt te hebben op de andere. Wat moeten we doen? Geen verandering is misschien het beste wat we kunnen doen.

In het licht van Elena's recente herstel ten gevolge van haar steroïdenregime (ze loopt, praat en slikt nu veel beter) kiezen we er misschien wel voor om af te wachten en volgende week nog eens te kijken. Dan zullen we onze maandelijkse trip naar Memphis maken en het voordeel van een vijfde MRI-scan hebben. Misschien wordt dan helder welke beslissing we moeten nemen, en nog een week van een verminderde dosis steroïden zal ons de hoop geven dat het een zwelling is. Daar heb je die hoop weer…

DAG

KEITH **120** BROOKE

29 maart

Papa is gek. Glimlachen zijn gratis. Hij heeft er misschien een Barbie Jeep voor nodig, maar ik krijg ze voor niets, vooral vandaag. Als je dit dagboek leest, zou je kunnen gaan denken dat Elena en Gracie vaderskindjes zijn. Niet dus. In dit huishouden is het nog steeds heel erg drie tegen een. Papa krijgt de stompen en ik krijg de kusjes. Neem nou vandaag: Gracie zat me te knuffelen en op mijn rug te kriebelen, terwijl Elena haar oefeningen deed door papa met haar rechtervuist in zijn maag te stompen. Op een dag zal hij begrijpen dat kusjes veel beter werken dan kietelen. Tot die tijd krijgt Elena haar dagelijkse therapiesessie. Met het oog op haar mogelijke bokscarrière kan die nog wel eens van pas komen.

Vandaag was Elena echt gelukkig. En behalve het moment waarop papa haar op school afzette, ging alles goed. De laatste tijd is Elena 's ochtends sterk aan mij en Keith gehecht geraakt. Daardoor is het afscheid bij de schooldeur nogal emotioneel. Niet dat ze niet naar school wil; ze is dol op school en houdt er niet over op als we haar ophalen. Ze wil ons alleen niet laten gaan.

Toen ik haar vanavond naar bed bracht, vertelde ze me dat ze vond dat we niet genoeg tijd doorbrachten met het hele gezin. Ik was het met haar eens. Maar ik weet ook dat Elena dol is op haar vrienden en haar juf. Geloof me, haar naar school brengen is voor mij ook een van de moeilijkste delen van de dag (hoewel ik geloof dat ik er veel beter mee om kan gaan dan haar vader, die een zacht ei is), maar ik weet dat ze het nodig heeft om uit haar schulp te kruipen. Het is meer dan onderwijs, het is een soort emotionele therapie geworden. Voor ons is het ook een kans om terug te keren naar het leven, om te doen alsof alles normaal is zoals vier maanden geleden.

DAG

KEITH **122** BROOKE

30 maart

We noemen haar 'Steroïde Sally'. 's Nachts is ze aan het spoken, ze is permanent verlegen, ongeneeslijk hongerig en prikkelbaar. En ze is onze Elena niet. Daarom noemen we haar 'Steroïde Sally'. Vanmorgen stond Steroïde Sally al vroeg op. Om 00.10 uur om precies te zijn. Het was mijn beurt om in Elena's kamer te slapen.

Ik was om 23.45 uur naar bed gegaan. Ze werd wakker om 00.10 uur. Labello was het noodgeval van dat moment. Ze herinnerde zich opeens dat ze haar labello in haar broek van de vorige dag had laten zitten en dat ze hem er *nu* uit moest halen! Ik had net het stadium van een diepe slaap bereikt. Mijn vermogen om helder na te denken was wazig, mijn geheugen was waardeloos. En voordat ik echt wakker werd, was ik al halverwege de gang gelopen om op zoek te gaan naar de spijkerbroek die ze die avond had gedragen. Tien minuten later had ik hem gevonden en keerde ik terug naar haar kamer, waar ze in een diepe slaap verzonken lag. Wat een noodgeval.

Om 01.30 uur was ze weer wakker. Nu zat ze rechtop mijn naam te roepen. 'Pap, pap, *pap, pap, paaaaap!*' Ik was wakker. Ze zei: 'Ik wil mijn effen rok.' Ik hoorde: 'Ik wil nu achterop.' Dat was duidelijk niet waarvoor ze weer wakker was geworden. En ze zit ook nooit achterop. Ze zei het nog een keer, steeds gefrustreerder door haar beperkte spraakvermogen en mijn armzalige pogingen om te liplezen in het donker. Na de vijfde of zesde keer begreep ik eindelijk wat ze zei. Maar desalniettemin leek een effen rok me nou niet bepaald een goede reden om midden in de nacht voor wakker te worden. Ik stelde haar gerust dat we morgenochtend een effen rok zouden uitkiezen. Twee minuten later lag ze weer te slapen. Ik lag nog een uur wakker.

Om 04.18 uur was ze weer wakker. Nu zat ze rechtop, riep me en zei: 'Ik moet je iets vertellen.' Ik kwam overeind en luisterde. Ze zei niets. Ik stond op en liep naar haar toe, me afvragend of het deze keer over een effen rok ging of een muntje in de zak van haar jas. Ze zei niets en draaide zich om op haar kussen. Het volgende geluid dat ik hoorde, was haar gesnurk. Geweldig, ze maakte me nu niet alleen wakker, maar droomde ook dat ze me wakker maakte. Net haar moeder. Zou het erfelijk zijn? Ik gaf het op en zette de wekker uit. Ooit zal ik hem weer gebruiken.

Morgen is mama aan de beurt. Maar de steroïdendosis zal dan hopelijk lager zijn zodat ze weer eens een hele nacht kan doorslapen. We nemen het zoals het komt. Dag, Steroïde Sally.

DAG
KEITH 125 BROOKE

2 april

Hoop komt in vele gedaanten. Vandaag in de vorm van een limousine. Deze keer was het een witte. En dan te bedenken dat we een schoolbus verwachtten. Vrijdag op school vroeg Elena's juf of we klaar waren voor

maandag. Wist ik veel dat de voltallige schoolstaf plannen had voor Elena's eerste dag na de lentevakantie? Toen de limo om tien uur 's ochtends arriveerde, wisten we niet wat te verwachten. En nadat de limo van twaalf meter lang in zes keer in onze negen meter brede straat was gekeerd, gingen we op weg.

Onderweg ontdekten we niet alleen aanwijzingen over onze middag, maar ontdekte ik ook mijn gezin. We vonden Elena's verborgen lach, mama's tranen en Gracies voorliefde voor gadgets terug in een limo. Als er een knop was om op te drukken, drukte Gracie erop. Als er een drankje te drinken was, dronk ze het. En elke stoel waar niemand op zat, riep haar naam, ten minste tien tellen lang. Gelukkig vond mama de veiligheidsgordels.

Al snel waren we bij onze eerste bestemming: het Cincinnati Art Museum. Elena herkende het direct, ze draaide zich om en zei dat ze er al drie keer eerder was geweest. Dit was de vierde. Het museum is op maandag gesloten, maar vandaag werd er voor Elena een uitzondering gemaakt. Omdat ze wisten dat Elena de rest van de week in het ziekenhuis zou zijn, hadden haar leerkrachten hun invloed aangewend om een museumbezoek op maandag mogelijk te maken. En dus werd ze persoonlijk rondgeleid, om het leger van conservatoren, beheerders en een politoerder heen die de vloer onder handen namen. Ze zag Amerikaanse kunst, hedendaagse kunst, beelden, impressionistische werken en zelfs multimedia-installaties. Ze bracht ook wat kwaliteitstijd door met haar vriendjes Vincent en Pablo, zoals ze hen nu noemt.

Terug in de limo hoorden we dat er vervolgens een picknick bij de rivier in het park op het programma stond. Maar het was niet zomaar een picknick; de juffen en meesters hadden een heuse biologische lunch bereid voor Elena, in een traditionele picknickmand. Ze hadden de afgelopen maand goed naar Elena's lunchtrommeltje gekeken en haar favoriete eten voor deze speciale picknick met de grootste zorg uitgezocht.

Onze herinnering aan die dag is prachtig weer, mooie kunst, een perfecte picknick en tijd met het gezin. En terwijl we ons mentaal voorbereidden op de rit naar het ziekenhuis om het nieuws te horen dat we niet wilden horen, voelden we ons gesteund door Elena's juffen en meesters en klasgenootjes. We vonden in de limousine namelijk ook een door de juffen, meesters en klasgenootjes met de hand gemaakte quilt voor Elena, een lappendeken. Een quilt vol liefde en steun van een groep mensen die we nu met trots onze groep noemen, opgesierd met de handafdruk van iedere leerling aan haar school. Eigenlijk was dat het kunstwerk van de dag.

Het was hoop, hoop die we wanhopig hard nodig hebben en die we elke dag van Elena's leven moeten koesteren tot ze honderd jaar is. Ongeacht de tegenslagen en de regressie realiseren we ons dat ons gezin vandaag in die limousine meer dan vier leden telde, want door die quilt waren er honderden bij gekomen.

DAG

KEITH **128** BROOKE

5 april

Ik heb nog nooit een held gehad. Natuurlijk heb ik rolmodellen en zelfs mentoren gehad, maar ik kan niet zeggen dat ik ooit echt een held heb gehad. In mijn gedachten was een held de belichaming van kracht, moed en integriteit, iemand die het onmogelijke voor elkaar kreeg. En nu heb ik mijn dochter als held. Haar kracht en moed tijdens de behandelingen waren ongelofelijk. De afgelopen vier maanden heeft ze haar vermogen om te spreken, lopen en eten zien verdwijnen. Ze keerden terug en verdwijnen nu weer. Toch is ze altijd vastberaden en lijkt haar moed om te blijven glimlachen bijna onuitputtelijk. Het staat buiten kijf dat ze integer is – Elena heeft nooit kunnen liegen – en het is wonderbaarlijk hoe bezorgd ze is om anderen vanwege haar ziekte. Ik kan nu alleen maar hopen dat ze het onmogelijke zal doen. Ze zal weer een hopeloze regressie overwinnen en ze zal de ziekte eronder krijgen die al zoveel andere levens heeft opgeëist. Daarna kan ze anderen helpen om deze onmogelijke strijd te winnen.

Dat is de droom en wat mijn held kan bereiken.

Honderdvijfendertig dagen geleden veranderde ons leven voor altijd. Honderdvijfendertig dagen geleden zat ik in het donker haar hand vast te houden op de intensive care. Honderdvijfendertig dagen geleden vertelden ze ons dat ze nog drie maanden en zes weken te leven had. Honderdvijfendertig dagen. Op dat moment begonnen we een dagboek voor Gracie met het verhaal van haar zus. We zijn nu 135 dagen verder.

Honderdvijfendertig dagen vertellen het verhaal van een meisje en haar familie, een familie die verwikkeld is in een angstige strijd, een strijd waar hopelijk nooit een einde aan zal komen. Morgen beginnen we aan een nieuwe reis en heel zeker aan een nieuwe fase. Op 28 november begonnen we aan fase 1: verdriet. Toen hoorden we voor het eerst van de kanker en ontdekten we dat de geneeskunde niet in staat was haar te genezen. Fase 2 bracht woede: woede over waarom het onze dochter was en hoe het mogelijk was dat dit kon gebeuren. In fase 3 leerden we vechten. En door talloze boeken over oncologie en zoektochten op internet 's ochtends vroeg, begonnen we deze ziekte echt te begrijpen. Fase 4 bracht wanhoop, aangewakkerd door de informatie die we verzameld hadden.

Het is één ding om je overweldigd te voelen door de ingewikkeldheid van de ziekte, maar het is een ander ding om je machteloos te voelen door het besef dat je bijna niets weet over hoe de tumor groeit of hoe je hem kunt behandelen. Je kunt over de beste deskundigen, de beste ziekenhuizen en zelfs onbeperkte bronnen beschikken, maar zonder behandeling ben je verloren. Er is geen enkele manier om je een weg uit een terminale ziekte te leren, te reizen of te kopen. Vastberadenheid, geloof en een beetje geluk zijn het beste waarop je kunt hopen. In fase 5 probeerden we Elena's leven te behouden. We kochten betonnen tegels waar je je handafdruk op kon zetten, we lieten haar muren beschilderen en bewaarden elk papiertje waar ze iets op had gekrabbeld. Maar vandaag, op dag 135, realiseren we ons dat deze fases zowel prematuur als irrelevant waren. Elena vecht nog steeds elke dag en dat blijven wij ook doen. Ze gaat de verwachtingen nu te boven, zoals we hadden gehoopt. Hier eindigen de fases en hier begint het leven.

Het dagboek is op een avond laat in gebruik genomen en gaat door tot vandaag, laat in de avond. Interessant genoeg is Elena vandaag haar eigen dagboek begonnen, het zat in haar paasmandje. Ze zal wel hebben gedacht dat als wij konden schrijven, zij zou kunnen tekenen. Gracie, die niet buitengesloten wenste te worden, is ook een dagboek begonnen. Alleen heet het bij haar 'dagkoek' in plaats van dagboek. Vanavond kondigde ze tijdens het avondeten trots aan dat ze na haar sperziebonen aan 'haar dagkoek moest beginnen'. Een beetje vreemd klinkt het wel. Weer is het Gracie die ons met humor en een glimlach leert te leven. En dat is precies wat we van plan zijn. Vanaf nu is elke dag een geschenk. De genezing begint nu.

DAG
KEITH *138* BROOKE

15 april

Een goede dag is iets betrekkelijks. Hoewel de goede dagen niet opwegen tegen die van vorig jaar, zijn ons perspectief en onze waardering veranderd. Vandaag was een goede dag. Voor het eerst sinds tijden hadden we de hele zondag voor onszelf. Dat betekende een uitstapje naar het museum, waar de meisjes uren speelden en nogal slaperig van terugkeerden.

Ik was het met Gracie eens en besloot een dutje te doen op de bank. Een halfuur later gaf Elena toe aan haar uitputting en voegde zich bij me op de bank. Dit was voor mij het beste deel van de dag. De eerste twee jaar van haar leven was een dutje doen met papa een zondagse traditie. In de herfst en de winter schakelden we naar een footballwedstrijd en lag ik op onze elementenbank met haar tegen me aan.

Nu, vier jaar later, is het nog steeds een zondagse traditie om een dutje te doen met papa. En toen mama twee uur later thuis kwam van het boodschappen doen, trof ze ons aan op de bank, Elena's hoofd tegen mijn schouder, beiden klaarwakker maar zeer comfortabel. Wie kan er nu slapen als je bang bent om een moment van deze kwaliteitstijd te missen? Maar omdat Gracie wakker was en mama erop aandrong dat er nog een boodschap moest worden gedaan, beloofden Elena en ik elkaar plechtig dat we onze zondagse traditie volgende week weer zouden oppakken.

DAG

KEITH *139* BROOKE

16 april

Vanavond hebben we de meisjes in Elena's kamer te slapen gelegd. Omdat de steunbalken onder Gracies vloer voor de verbouwing worden verwijderd, leek het ons beter dat ze niet in haar eigen kamer zou slapen. Maar Elena, die bang was om uit haar bed te vallen, wilde op de matras op de grond. Elk ander moment zou Gracie de kans om in het grote kinderbed te slapen met beide handen hebben aangegrepen, maar nu trippelde het kind, dat niet kon wachten tot ze een stapelbed kreeg waarin zij in het bovenste bed zou komen, naar papa en mama beneden. Waarom moest zij in het grote kinderbed? 'Wanneer wordt Elena beter?' Op sommige vragen konden we geen antwoord geven, andere sloegen gewoon nergens op. 'Is het huis klaar als Elena beter is? Ik wil ook cadeaus krijgen, net als Elena.' We realiseerden ons dat Gracie het had opgemerkt.

Vandaag was het haar beurt om de grote zus te zijn. Trots zagen Brooke en ik Gracie haar liefde voor haar zus uiten en zich veel ouder gedragen dan haar leeftijd. Op foto's slaat Gracie nu haar armen om haar zus heen om haar tegen zich aan te trekken, precies zoals Elena dat de afgelopen vier jaar had gedaan. Als we in de auto stappen, buigt Gracie zich over Elena heen om haar gordel vast te maken en erop toe te zien dat ze lekker zit voor we wegrijden. Bij het tandenpoetsen helpt Gracie Elena de tube open te maken en de tandpasta op haar borstel te doen. Vanavond stopte ze Elena in en gaf haar een kus op haar wang. Ze heeft niet alleen Elena's rol van grote zus overgenomen, maar wil ook graag haar 'goedste vriendin van de hele wereld' helpen.

Ik weet dat dit niet de laatste keer zal zijn dat we Gracie moeten troosten, en het zal ook niet de laatste keer zijn dat ze de veranderingen bij haar zus niet begrijpt. Ik weet ook dat Gracie ons of haar 'Lena' nooit zal teleurstellen.

DAG
KEITH **145** BROOKE
22 april

Ik mis die warme avonden, waarop we de slaap maar niet kunnen vatten. Niet dat we onze portie aan slapeloze nachten niet krijgen, maar dat is anders. Vroeger gingen we rond half tien naar bed, en dan hoorden we de buurkinderen nog lachen en spelen in de achtertuinen. Uiteraard mopperden we op hun geschreeuw en geroep en vroegen we ons af wat voor ouders hun kinderen op een doordeweekse dag in het donker buiten lieten spelen. Sommige ouders moesten immers om half vijf weer op. Maar al snel realiseerde ik me dat mijn meisjes ook zouden opgroeien en onze buren zouden teisteren door tot lang na het donker buiten tikkertje te spelen en naar elkaar te schreeuwen, alleen niet op doordeweekse dagen. Dus draaide ik me om, bedekte mijn oren en viel direct in slaap.

Vanavond hoor ik het vertrouwde geschreeuw en de spelletjes die ze nabij onze open ramen spelen. Maar nu is het anders. Op een tijdstip dat ik mijn meisjes buiten zou moeten horen spelen, hoor ik alleen hun vriendjes en vriendinnetjes. Nu Elena ziek is, zijn er geen lange avonden waarop ze tikkertje spelen en naar elkaar schreeuwen.

Nadat we de meisjes naar bed hadden gebracht, gingen Brooke en ik op de bovenste tree van de trap zitten luisteren naar de stilte en naar de bries die door de ramen naar binnen woei. Door die bries heen hoorden we Gracie tegen Elena fluisteren. Ze had een plan: Elena moest op de deurbel drukken die aan haar hoofdeinde hing en iets belachelijks verzinnen. Het maakte niet uit dat we de deurbel alleen hadden opgehangen voor noodgevallen en wc-bezoeken; de meisjes gebruikten hem als hun persoonlijke bel.

Elena drukte op de bel en ik ging de kamer in, zogenaamd bezorgd. Daar kreeg ik te horen dat Elena morgenochtend bij het ontbijt toast wilde eten. Frustratie veinzend liep ik de kamer weer uit. De deurbel rinkelde weer. Nu wilde ze weten of ik haar geld, dat we die ochtend voor de fysio-oefeningen hadden gebruikt, wel weer terug in haar spaarpot had gedaan. Ik zei dat ik dat inderdaad had gedaan en vroeg of ze de deurbel alleen voor noodgevallen wilde gebruiken. Zij en Gracie giechelden. En tegen de tijd dat ik de deur dichtdeed, hoorde ik de bel weer rinkelen. Ik wachtte. Hij rinkelde weer. Ik wachtte. Hij rinkelde weer. Toen ik de deur opende, barstten ze in lachen uit. Papa liet zich om hun vingertje winden en dat wisten ze maar al te goed. Elena had dit keer geen verklaring voor het rinkelen; ze wilde gewoon mijn gezicht zien als ik naar binnen kwam rennen om ze te kietelen.

Twintig minuten later speelden we nog steeds het deurbelspelletje, maar nu lieten ze hem rinkelen terwijl ze zich onder de dekens verborgen. Jammer dan dat ik toch wel wist dat ze er waren. En vanavond, al was het maar een halfuur, was het óns huis waar alle herrie in de buurt vandaan kwam. Er werd geschreeuwd, gegiecheld en af en toe rinkelde er een deurbel. Misschien gingen ze iets te laat naar bed.

DAG
KEITH 146 BROOKE
23 april

De sprong van zes naar dertien jaar gebeurt veel eerder dan je denkt. Hoewel ze met haar geest en lichaam nog op de kleuterschool zit, was haar houding vandaag ronduit puberaal. Ze negeerde volwassenen, drong voor haar klasgenootjes die in de rij stonden en deed zelfs een beetje brutaal. Dat ze volwassenen zou negeren, had ik wel zien aankomen. Toen haar muziekleraar in de schoolvakantie op bezoek kwam, rechtvaardigde ik haar gedrag door uit te leggen dat ze zich schaamde voor haar stem. En hoewel dat eerst ook zo was, hoorde ik haar in de pauze tegen haar klasgenootjes praten en werd me duidelijk dat ze inmiddels wel gewend was geraakt aan haar nieuwe stemgeluid. De rest van de schoolvakantie hebben we erop gehamerd dat ziekte geen excuus is voor onbeleefdheid. Ze maakte nog steeds geen oogcontact, maar ze heeft het in elk geval gehoord.

Als ik die vastberadenheid en die koppigheid zie, krijg ik de hoop dat zij het zal halen als het ene kind op de miljoen, het ene kind dat de onmogelijke kanker verslaat. Als zij het immers langer uithoudt dan ik, waarom dan niet ook een kleine ziekte de baas worden? En ook al weten we dat onze blik vervormd is, haar kracht geeft ons moed. Maar goed, optimisme kan gevaarlijk zijn. Als ouder bereid je je ergens diep vanbinnen voor op het ergste. Je beschermt jezelf, je beschermt je hart. Je kijkt naar haar opstandigheid en merkt dat je gedachten afdwalen naar de toekomst: haar bruiloft, haar kinderen, jouw kleinkinderen. Dan schrik je wakker en realiseer je je dat het nog steeds vandaag is en dat je geen stap verder bent dan twee minuten geleden. Het gevecht is voor vandaag en je levert het stap voor stap. Je wordt gedreven door hoop, maar hoop is ook ontmoedigend. Dus blijf je in de loop van de dag zoeken naar hoop, voorzichtig dat je haar niet te ver voert zodat je ten prooi valt aan wanhoop.

Elena is sterk, sterker dan ik ooit zal zijn. Als er hoop moet zijn, dan bij haar. In de tussentijd is het onze verantwoordelijkheid om haar te steunen, van haar te houden en haar dingen te leren. Morgen beginnen we maar eens met de manieren.

DAG
KEITH *149* BROOKE
26 april

Ik heb ze allemaal gehoord. 'Gods wegen zijn ondoorgrondelijk.' 'God geeft kracht naar kruis.' 'God kastijdt die hij liefheeft.' Ze komen van goed bedoelende vrienden en familie, die ons troost willen bieden. Maar diep vanbinnen twijfel ik.

Of het nu goed of fout is, ik heb religie en God altijd in mijn familie gevonden. Ik heb nooit leiding gezocht bij de kerk, bij standbeelden of de

Bijbel. Voor mij zijn het de gezichten van mijn gezin waar ik troost en verlichting uit kan putten. Zij zijn de ware geschenken in mijn leven en op de een of andere manier heb ik me altijd voorgesteld dat ik goed kon doen door de dingen die ik deed en de toewijding aan mijn gezin. Toen Elena en Gracie geboren werden, wist ik dat zij mijn missie waren. Dat was Gods plan, ik had geen priester nodig om me dat te vertellen. Nu merk ik dat ik niet alleen twijfel aan mijn geloof, maar ook aan Gods plan. Als ik naar Elena kijk, kost het me veel moeite te geloven dat dit een deel van een 'plan' is. Welk doel kan het nou dienen als het leven van een onschuldig kind verloren gaat? Ze is mijn engel.

Nadat ik de meisjes vanavond voor de laatste keer welterusten had gekust, ging ik op de voorveranda staan, zoekend naar een betekenis. Er was storm op komst. Ik keek naar het oosten, naar het zuiden, naar het noorden en uiteindelijk naar het westen. Ik speurde de horizon af, turend naar de op handen zijnde storm. Ik vond niet wat ik zocht. Ik zie God nog steeds in de gezichten van mijn kinderen, en ik denk ook dat Hij daar altijd te zien zal zijn. Geen hemel, kerk of priester kan me iets anders wijsmaken. Toch blijft de storm naderen, terwijl ik hier sta te twijfelen. Over twee dagen zullen we meer weten, want dan reizen we weer af naar Memphis voor een controle. Ik ben bang dat ik het niet aankan.

DAG
KEITH *152* BROOKE
29 april

We zijn het niet met elkaar eens. Terwijl ik dit schrijf, is Brooke beneden met Gracie in de lobby van het hotel in Memphis en ben ik bij Elena in de kamer. En nu doet het ertoe. Voor Elena is het gewoon weer een van de vele ruzies die we de laatste tijd hebben. Ik hoop dat ze nooit zal begrijpen waarover we bekvechten. Brooke wil het blijven proberen. Ze zegt dat het geen progressie is, dat de medicijnen werken en dat het gewoon tijd nodig heeft. Ik ben het daar niet mee eens. Elena gaat achteruit, de medicijnen zijn tijdverspilling en we moeten overstappen op iets anders. Ik weet alleen niet waarop, niemand lijkt dat te weten. Toch moet er iets beters zijn. Het erge is dat haar artsen er ook niet uit zijn. En daar ergens tussen die twee uitersten hangt het leven van mijn dochter.

Het is de ergste ruzie die we ooit hebben gehad, maar deze keer moet het. We zijn het niet met elkaar eens, zoals ieder echtpaar. Meestal gaat het over geld, een stomme opmerking of het werk. Een of twee uur later geven we het op of vergeten we waarover we eigenlijk ruzie hadden. Maar nu is het anders. Nu gaat het over Elena en wil ik helemaal geen gelijk hebben. Gelijk hebben is toegeven dat we misschien al verloren hebben en dat we de laatste maand verspild hebben door niets nieuws te proberen. Gelijk hebben betekent dat Elena's hoop gereduceerd is tot weken en niet maanden. Gelijk hebben betekent dat we de verkeerde keus hebben gemaakt. Gelijk hebben betekent dat we zullen ophouden met lachen. Ik wil niets liever dan ongelijk hebben. Maar ik kan de signaleren niet negeren. De verlamming wordt elke dag erger. Ik zie het iedere ochtend in haar gezicht als ze wakker wordt en zich realiseert dat ze nog steeds ziek is en niet beter wordt. Ze laat haar ogen langzaam over haar lichaam glijden en haar glimlach sterft weg. Ik weet dat ze zich afvraagt wat ze die nacht is kwijtgeraakt. Was het haar gezichtsvermogen, haar gehoor of misschien iets simpels als haar grote teen? Ze is slim genoeg om zich te realiseren wat er gebeurt en ik ben te dichtbij om de signaleren niet te zien. Het wordt niet beter.

Vandaag vroeg ik de arts naar andere opties. Pas na de tweede keer vragen gaf hij antwoord. Het alternatief is een behandeling die niemand lijkt aan te willen bevelen, althans nog niet. Deze behandeling is niet getest en brengt een groot risico op bloedingen met zich mee. Hij weet niet eens zeker of hij haar die medicatie in haar huidige toestand kan geven. En dus bespreken we de bijwerkingen terwijl mijn dochter naast ons doodgaat. Wat is de bijwerking van niets doen?

Brooke heeft een punt. Zonder uitvoerbare alternatieven zouden we moeten wachten tot de artsen het met elkaar eens zijn. Ik weet alleen niet of ik het geduld kan opbrengen. Er moeten andere opties zijn; we moeten iets doen. Zij zal de hoop nooit opgeven en ik zal nooit genoegen nemen met een compromis. Ik weet niet hoe dit afloopt; voor ons niet en voor Elena niet.

En daarom is Brooke beneden met Gracie terwijl ik hierboven bij de slapende Elena zit.

DAG
KEITH **153** BROOKE
30 april

Ik heb een hekel aan New York. Ik heb een nog grotere hekel aan Cleveland. Het gaat me niet om de steden; ik heb er nooit genoeg tijd doorgebracht om me daar een mening over te kunnen vormen, maar vandaag symboliseren ze iets. Elena luistert namelijk tegenwoordig naar elk gesprek dat we voeren. Zodra we 'MRI' zeggen, spitst ze haar oren. Zeggen we 'bloeding', dan draait ze zich naar ons om. Zeggen we 'progressie', dan staat ze stil. Vandaag zeiden we nogal vaak 'progressie'. Eindelijk zijn alle artsen het met elkaar eens: de tumor is gegroeid en ze is nu officieel in progressie. Met een algehele groei van meer dan een halve centimeter is chemotherapie geen optie meer. In haar geval biedt chemotherapie nu geen hoop meer en we moeten snel handelen. Maar door huidbloedingen behoort een vastomlijnd protocol niet langer tot de mogelijkheden. De opties die we een maand geleden hadden toen er op de MRI-scan nog geen tekenen van een bloeding waren, zijn nu van tafel geveegd. In plaats daarvan zullen we met de hulp van het ziekenhuis buiten het onderzoek om en op eigen risico met een nieuwe chemotherapie beginnen. Helaas betekent dat misschien ook zonder de hulp van de ziektekostenverzekering.

Niemand weet echt hoe deze nieuwe behandeling werkt of hoe hij werkt bij diffuse gliomen, maar als er geen alternatieven zijn doet dat er niet toe. De hoop is dat deze het succes zal brengen waarvan we dachten dat de vorige chemotherapie dat drie maanden geleden zou doen. Bij deze behandeling zijn bloedingen echter een grote zorg. En omdat Elena meeluistert, hebben we het over 'naar New York gaan' als we het risico op bloedingen bedoelen. Dus als we zeggen dat ze een aanzienlijke kans heeft om naar

New York te gaan, moeten we het risico accepteren voordat we doorgaan. Helaas zal een 'trip naar New York' bijna zeker uitmonden in een 'trip naar Cleveland', en dat betekent dat ze het waarschijnlijk niet zal halen.

Daar, ik heb het gezegd. En hoewel ik ineenkrimp onder deze ongevoelige metaforen, zou ik het niet verdragen als zij, zittend in de kamer waar we de gesprekken met haar oncoloog voeren, de ernst van haar situatie kende. Wat haar betreft, wordt ze elke dag een beetje beter, ook al heb ik daar de afgelopen week amper tekenen van gezien. Ik vrees dat ze dat al weet. Hiervóór stelde ze vragen over elk gesprek dat we met haar artsen hadden, maar nu zit ze bewegingloos in de hoek met haar ogen op de deur gericht. Ik weet dat ze luistert en ik ben bang dat ze zelfs weet wat we zeggen als we het over 'naar Cleveland gaan' hebben. Ze is slimmer dan ik ooit zou kunnen bevroeden.

Vanavond gaan we naar huis.

DAG
KEITH **156** BROOKE

3 mei

Echt kunstzinnig is ze niet. Ze houdt van getallen en details, draagt geen artistieke bril en heeft haar beide oren nog, maar op de een of andere manier hangt ze dan toch in het Art Museum, naast soortgenoten als Picasso, Renoir en Van Gogh. Vooruit, ik weet heus wel hoe ze hier terecht is gekomen, maar voor haar is het een droom die is uitgekomen. En al zie je haar glimlach niet door de waas van een drievoudige steroïdendosis en de extreme uitputting na haar eerste chemotherapie, dit betekent alles voor een zesjarig meisje.

Vandaag hebben we haar schilderij naar het museum gebracht om het te laten 'installeren'. Bij ons hing het gewoon aan de muur in de woonkamer, maar in het museum diende het 'geïnstalleerd' te worden. In datzelfde museum kreeg Elena ook voor het eerst de zaal te zien waar haar schilderij tentoongesteld zou worden. Eigenlijk had ik gedacht dat het ergens in een hoekje bij de toiletten zou komen, waar *Dogs Playing Pool*

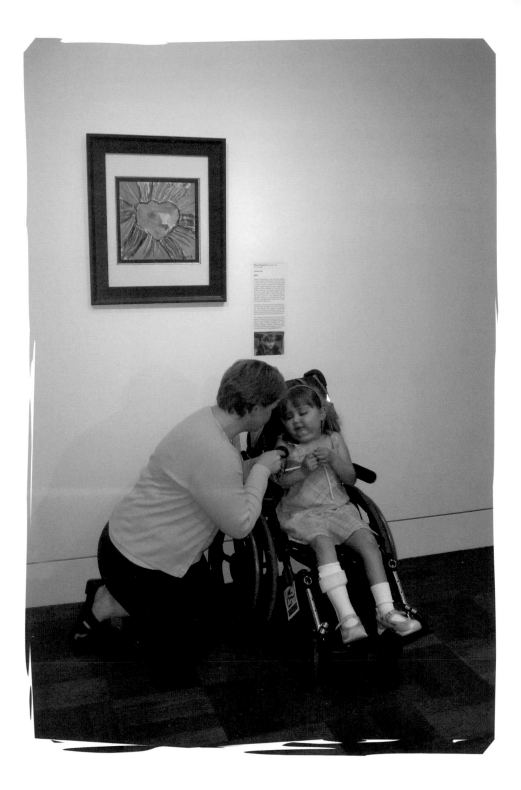

het vorige meesterstuk was geweest. Maar toen we dichterbij kwamen, zagen we al snel dat haar werk een centrale plek zou innemen in een zaal vol giganten. Picasso hing aan de dunne wand bij de deur, terwijl Elena's *I Love You* vanaf de hoofdwand zou stralen, geflankeerd door meesterwerken die de galerie anders voor zichzelf hadden gehad. En alsof dat nog niet genoeg was, waren de beheerders druk bezig de muur klaar te maken voor Elena's schilderij met een verse laag stuc en verf. Door de verbouwing waren we thuis al blij als het gewoon recht hing. Dat zal wel het verschil zijn tussen een installatie en de goeie oude spijker.

Sinds Elena's diagnose hebben haar knutselwerkjes meer betekenis gekregen. Tekeningen die we anders weg hadden gegooid, zijn nu van onschatbare waarde. Zelfs stukjes papier die we uit haar schooltas vissen, zijn een blijk van haar liefde geworden. Nu moet alles worden bewaard: elke tekening, elk briefje en elke kaart. Soms is het te veel. In onze wanhoop om elke herinnering te bewaren, is haar kamer meer op een altaar gaan lijken dan op een kinderkamer, zodat ze nu bij haar zus slaapt uit angst voor een lawine van knuffeldieren, knutselwerkjes, tekeningen en andere memorabilia. Maar hoe hou je een kamer schoon als je niets kunt weggooien? Niet, en dus verplaatsen we de spulletjes en houden we elkaar voor dat het er schoner uitziet dan toen we begonnen. Ik vrees dat we ooit nog een vleugel aan haar kamer zullen moeten aanbouwen. Maar ach, dat is iets goeds want dat betekent dat ze dan nog steeds bij ons is.

Ik begrijp eigenlijk niet waarom ze zo van kunst houdt. Brooke heeft een hekel aan het kunstmuseum en ik kan de muren van ons huis niet eens schilderen zonder er een grote troep van te maken. Maar met het grootste gemak heeft Elena het over Van Gogh en Picasso alsof het vrienden van school zijn. Misschien zijn ze dat ook en misschien komt het eenvoudig door een thema op school. Toch vraag ik me af of de andere kleuters het thema even serieus hebben genomen als Elena. Boeken over kunst sieren haar boekenplanken en een uitje naar het kunstmuseum is een feestelijke aangelegenheid. Ook nu weer. We blijven haar werk bewaren en zij zal blijven schilderen. Zonder stem en zelfs zonder rechterhand, is dat nu de manier waarop Elena met ons communiceert en hoe ze ons haar liefde toont. Ik denk dat de titel *I Love You* daarom ook zo passend is. Eenvoudig, simpel en precies Elena.

Voor Brooke en mij is Elena's schilderij meer dan gewoon een hart. Het is haar vermogen om een ziekte te verlichten die zoveel jonge levens kapotmaakt. Het zijn de levendige kleuren en emoties die onze dochter kenmerken. Het is haar kijk op de wereld op deze jonge leeftijd. Tranen of geen tranen, we weten dat ze waardering heeft voor alle steun en deze kans om haar schilderij in het kunstmuseum naast 'haar Pablo' te zien hangen.

Het schilderij was schitterend. Niet omdat het de beste was van allemaal, want daar twijfel ik aan. Niet eens omdat het in een kunstmuseum hing. Het was mooi omdat het alles van onze dochter symboliseert waarvan we houden – het vermogen om licht te geven en de bereidheid om te delen – terwijl het toch kleiner en meer ingetogen is dan de schilderijen eromheen. Ik hou van je, Elena.

DAG
KEITH *157* BROOKE

4 Mei

Zoveel mensen concentreren zich in hun leven op dingen die er niet echt toe doen. Ik wilde dat we die fout nog steeds maakten. Vandaag ben ik God zo dankbaar voor iets heel eenvoudigs, een bedankje. Vandaag was dan eindelijk het uitje van de kleuterschool naar de dierentuin. Aan het begin van de week piekerde ik nog of ik het aan Elena moest vertellen, uit angst dat we niet op tijd in Cincinnati terug zouden zijn. Vanmorgen hebben we ons in een recordtijd aangekleed en heeft ze zelfs haar ontbijt redelijk snel opgegeten (minder dan een uur). We hebben onze spullen gepakt en begonnen naar buiten te lopen tot Elena me tegenhield en een koortsachtig gebaar maakte dat ik nooit eerder had gezien. Ze probeerde wanhopig de woorden te zeggen, maar aangezien ik vannacht maar vier uur had geslapen, kon mijn brein niet bevatten wat ze tegen me probeerde te zeggen. Uiteindelijk wees ze naar het papier en schreef ze: 'Ik vil me sang mee.' Voor de ouders die zich niet bekwaamd hebben in fonetische kleuter-schoolspelling, ze vroeg niet om een Chinese snack, ze wilde haar knuffel-slang meenemen om aan haar vriendjes en vriendinnetjes te laten zien.

Ik heb geen idee waarom, maar mijn kleine meisje in haar mooie roze jurk had een bruine knuffelslang uitgekozen tijdens haar laatste bezoek aan de cadeauwinkel van het ziekenhuis. En vandaag wilde ze die dus per se meenemen naar school. Ik denk dat ze hoopte dat de kinderen zich op de slang zouden richten en niet op de rolstoel waar de slang omheen gewikkeld zat. Het werkte ook, maar ik denk dat het ook hielp dat de kinderen zo in beslag werden genomen door het uitstapje. Haar nieuwe wielen stonden laag op hun prioriteitenlijstje. Haar stemming was er zo op vooruitgegaan dat ze zich vanmorgen aanbood om over de intercom trouw te zweren aan de vlag. Ze hield haar mond de hele tijd dicht, maar glimlachte van oor tot oor toen haar drie vriendinnetjes haar zwijgen compenseerden.

De rest van de dag verliep in een waas. We liepen achter haar klas-genootjes aan, langs de beren en de apen. Elena wilde het reptielenhuis bezoeken, glimlachend om de ironie toen ze haar slang de andere slangen liet zien. Ik wilde dat ze kon praten en me vertellen wat voor goeie grap er ongetwijfeld door haar hoofd ging. We sloten ons aan bij een groepje van vier meisjes uit haar klas. Ze hielden deuren voor haar open en hielden bij het lopen haar armleuningen vast. Kinderen zijn ongelofelijk flexibel, dankzij haar klasgenootjes kan Elena zich normaler voelen dan wij ooit voor elkaar zullen krijgen. Na de lunch trakteerden we haar vriendinnetjes op een ritje in de draaimolen en na snel een foto te hebben gemaakt, gin-gen we iets eerder weg.

Op weg naar huis probeerde ze tegen me te praten. Meestal begrijp ik haar wel als ik haar hoor en naar haar lippen kijk, maar als je ook nog moet autorijden is het wat lastiger. Dus bij een stoplicht trok ik de achteruitkijk-spiegel naar beneden om haar te vragen wat ze wilde zeggen. Ze keek naar me, glimlachte en gebaarde: 'Dank je.' Mijn hart smolt. Ondanks alle nare humeurigheid die de steroïden veroorzaken, was ze oprecht gelukkig en daar was ik intens dankbaar voor.

Ik sta bekend als 'de vader van Elena'. Na vandaag doet al het overige er niet meer toe en dat vind ik goed. Nadat haar schilderij in het museum was tentoongesteld en haar verhaal de voorpagina van de krant had gehaald, was Elena een soort heldin geworden. Het hoogste waarop ik hopelijk ooit kan rekenen is bekendstaan als 'de vader van Elena en Gracie'.

Elena's herstel zette vandaag op geheel eigen wijze door. Het been is nog steeds zwak en de rechterhand hangt slap langs haar zij, maar haar eetlust is terug en haar stem gaat vooruit. Niet dat ze de gebarentaal snel

zal opgeven. Ze leert ons nog steeds twee tot drie nieuwe gebaren per dag. We hebben geen idee waar ze het leert, maar toen we snel op internet keken werd ons vermoeden bevestigd: ze is een gebarentaalgeleerde. Dit is haar nieuwe stem en soms vraag ik me af of ze er ooit mee zal stoppen.

Terwijl ik haar welterusten kus, probeer ik me te herinneren hoe haar stem klonk. Dat is iets wat een fototoestel niet vastlegt. Daar zijn de glimlach, het gezicht en de herinneringen, maar de stem is vergeten. Gek dat je zoiets belangrijks zo snel kunt vergeten. Zes jaar lang was het het geluid van haar stem die me begroette als ik uit mijn werk thuiskwam, haar stem die me smeekte haar harder te duwen op de schommel in de achtertuin en de stem die me welterusten wenste. Nu is het een geluid dat ik me niet kan herinneren.

DAG
KEITH 161 BROOKE
8 mei

Als ik Elena's schooltas 's avonds leeghaal, vind ik ten minste twee briefjes met: 'Ik hou van jullie mama papa Grace.' Ik lees het zinnetje achter op haar werkbladen en op zorgvuldig uitgeknipte hartjes. Nu ze sinds kort nog afhankelijker is van mama en papa, is ze nog dankbaarder geworden voor onze hulp. Elke keer dat ze het gebaar voor 'po' maakt en ik op haar af loop om haar op te tillen, glimlacht ze schaapachtig. Vraagt ze om een stuk speelgoed of een vijfde bord eten, dan gebaart ze: 'Ik hou van je.' Als ik haar naar de auto draag om haar naar school te brengen, krijg ik eindeloze kusjes als bedankje.

Elena is altijd een onafhankelijk meisje geweest, en nu is ze zich er pijnlijk bewust van dat ze in haar leven niets meer kan controleren. Maar hoe ellendig ze zich ook voelt onder de wetenschap dat ze al hulp nodig heeft om ergens mee te kunnen spelen, ze toont ons altijd direct haar waardering. Vandaag nog, toen Elena achter Keith zat, terwijl die me over haar afspraak in het ziekenhuis vertelde. Elena gebaarde breed glimlachend 'Ik hou van je' naar me en ik glimlachte al even breed terug. Keith keek om naar Elena en daarna naar mij, zich afvragend waarom we glimlachten. Elena glimlachte gewoon naar hem en toen hij niet meer keek, rolde ze met haar ogen naar het plafond, blij dat ze een manier had gevonden om papa te plagen.

DAG
KEITH **163** BROOKE
10 mei

Elena is auteur. En met twee boeken per dag denk ik dat ze J.K. Rowling spoedig naar de kroon zal steken. Toch vindt Elena's kleuterjuf dat Elena minder non-fictie en meer fictie en lesboeken zou moeten schrijven. Kleuters blijken op school tegenwoordig een portfolio te moeten maken. Er is veel gebeurd sinds mijn kleutertijd, toen ik met een krijtje wat op een vouwblaadje krabbelde en vervolgens weer een hap klei nam. Maar het kan natuurlijk best zijn dat ik door al die klei nooit ben toegekomen aan het schrijven van proza. Ik vraag me af of ze hierna een journalistiek essay moeten schrijven.

Hoe het ook zij, Elena wilde het probleem per se verhelpen en is vanmorgen bij het ontbijt begonnen. De titel: Het leven op de kleuterschool. Ze heeft het voor haar zusje geschreven. Brooke en ik zijn er onlangs achter gekomen dat Gracie vijftien dagen te jong is om volgend jaar naar de kleuterschool te mogen. En hoewel we er prat op gaan geen overdreven assertieve ouders te zijn, die willen dat hun kind vooruitgaat omwille van het vooruitgaan, hebben we besloten dat Gracie er klaar voor is. Ik denk dat Elena het daarmee eens is.

Dus ergens door onze gesprekken heen is Elena erachter gekomen dat Gracie naar de kleuterschool zou gaan en heeft ze besloten dat dat het onderwerp van haar lesboekje zou worden. Met haar nieuwe tekstboek in de aanslag besloot ze Gracie de subtielere aspecten van de kleuterschool-etiquette bij te brengen. De inwijding begon met een hartje op de eerste bladzijde. Elena was van mening dat Gracie eerst moest leren op het kleed te zitten. Dat is de plek waar elke zichzelf respecterende kleuter de dag begint, in kleermakerszit en vol aandacht voor de verhalen van anderen. Alsof ze haar verhaal kracht wilde bijzetten, had ze een gedetailleerde tekening van de hoeken van het kleed gemaakt, compleet met een markering van Gracies plaats vóór in het lokaal (weet Elena iets over Gracie wat wij niet weten?).

Op bladzijde twee had Elena bedacht dat Gracie een plattegrond moest hebben om te leren hoe het buitenterrein van de basisschool in elkaar stak. Het bestaat uit drie delen: het bovenste gedeelte, het geasfalteerde terrein en het lager gelegen speelplein, waar ze buitenspelen in de pauze. Ze had niet alleen de moeite genomen om de gebieden op te sommen, maar had ook een diagram getekend om Gracie te helpen begrijpen hoe de verschillende delen zich tot elkaar verhielden.

De derde bladzijde was leeg. Misschien wilde ze er later nog iets aan toevoegen.

Bladzijde vier was gewijd aan het ingewikkelde rooster van de kleuterschool. Je moet namelijk niet alleen op het kleed zitten, maar hebt ook vakken als evenwicht, lichamelijke opvoeding, 'muizk' (muziek, voor degenen die nog niet kunnen spellen) en 'bib' (dat is Spaans voor bieb).

Op bladzijde vijf stond alleen een eenvoudige instructie: 'stil sein in de katiene', of 'stil zijn in de kantine'. Ik denk dat alle leerkrachten trots zouden zijn op deze les, hoewel ik vermoed dat ze liever zagen dat het op meer plaatsen stil was dan alleen de kantine.

Bladzijde zes was de belangrijkste. Zelfs met haar beperkte stem was dit onderwerp alle aandacht waard. Tien minuten later gaf ze Gracie nog steeds instructies. Het ging over het Helpende Handje (de *Razzle Dazzle*), de o zo belangrijke erestatus die maar één speciaal kind per dag kreeg toegewezen. De verantwoordelijkheden zijn legio, de privileges zijn felbegeerd en de dagelijkse eerbetuigingen zijn legendarisch. Hij of zij staat voor in de rij, kiest het wachtwoord en voorspelt het weer. Het beste is nog dat het maar ongeveer eens in de eenentwintig dagen (er zitten eenentwintig kinderen bij haar in de klas) gebeurt. Elena's les voor Gracie was eenvoudig: je zult het Helpende Handje zijn. Er wordt misschien zelfs wel een liedje voor je gezongen…

Her name is Elena,
She's like the sun,
Her Razzle Dazzle has just begun.
Razzle, dazzle, sparkle and shine,
Razzle dazzle, sparkle and shine.

Als je kind één keer het Helpende Handje is geweest, ken je dit liedje voorgoed uit je hoofd. Elena zong het de hele weg naar huis.

Bladzijde zeven was eenvoudig. Geen woorden, alleen een tekening van Gracie en alle vrienden die ze op school zal maken.

Bladzijde acht was leeg. Daar zal ze later ook nog wel iets mee doen.

Bladzijde negen ging over kalenders. Een goed Helpend Handje moet op de kalender kunnen aflezen wat het nieuws en het weer is. Op bladzijde tien bracht Elena Gracie de fijnere kneepjes van de werking van de kalender bij met een zeer gedetailleerd schema.

Bladzijde elf was helemaal gewijd aan houding: 'Glimlachen, Gracie.' Eindelijk wierp het vruchten af dat mama en papa Elena eindeloos waren blijven aansporen om te glimlachen ongeacht haar doses steroïden.

Bladzijde twaalf ging over Elena's favoriete onderdeel van school, het schrijven van de non-fictieboeken waar ze zo van hield. Nu was het Gracies beurt. Schrijven, lezen, woordjes bekijken, puzzelen en rekenen; de mogelijkheden waren onbeperkt.

Bladzijde dertien was een eerbetoon aan haar zus: 'veel plezir op de kluterschol.'

Bladzijde veertien ging door met een opdracht om 'lif te zein vor de juf.' Net zoals Elena zal Gracie ongetwijfeld de lieveling van haar juf zijn.

Op bladzijde vijftien en zestien ging het alleen maar over de voordelen van de kleuterschool. Eerst merkte ze op dat je op de kleuterschool gedichtenboekjes hebt. Daarna benadrukte ze de rol van speciale activiteiten zoals gasten en programma's.

Bladzijde zeventien en achttien boden een overzicht van Elena's ervaringen op de kleuterschool met 'we heben vil plezir' en 'het is luk op de kluterschol'. Tegen de tijd dat ze klaar was met lezen, was Gracie haar schooltas al aan het inpakken. Elena vindt de kleuterschool gewoon leuk en ze kan zich geen plek voorstellen waar ze liever zou zijn. Voor haar betekent school nieuwe ervaringen, nieuwe vriendjes en vriendinnetjes en een routine die ze nu heel hard nodig heeft. Ze wil altijd juf worden en nu mag ze mentor zijn. Fijn dat Gracie zo'n snelle leerling is.

DAG KEITH 165 BROOKE

12 mei

De meisjes hebben Brooke tomaten gegeven voor Moederdag. Nou ja, niet echt tomaten, maar tomatenplanten. Daar liepen we in de tuin, op onze modderige gymschoenen, met modderige sokken, ons modderige voorhoofd afvegend ons best te doen om een stukje geschikte klei te vinden. Echt quality time.

Ik bedenk me dat ik nooit echt heb begrepen waar Moederdag over gaat. Brooke heeft namelijk tomatenplanten voor Moederdag gevraagd terwijl ze tomaten háát. Waarom wil ze dan tomaten? Voor de meisjes natuurlijk. Mijn moeder heeft een tomatenplant in haar tuin en de meisjes vinden het heel leuk om de rijpe tomaten rechtstreeks van de plant te plukken en meteen in hun mond te stoppen. Soms zaten ze zelfs op de veranda te wachten tot de tomaten rood kleurden zodat ze ze konden opeten. Dat gebeurt natuurlijk nooit, waardoor ze wel eens een groene tomaat in hun mond hebben gestopt. Dat gebeurt trouwens vaker met Gracie, die heeft nooit veel geduld. Elena wachtte altijd rustig af tot de tomaat perfect was, maar met Gracie in de buurt was haar keuze natuurlijk beperkt.

Op een dag waarop we onze moeders eren door ze te belonen met wat hun hartje maar begeert, denkt Brooke weer eerst aan haar meisjes. Geen pedicure, geen gezichtsbehandeling; voor Brooke is het genoeg als we een groente voor haar planten waar ze de grootste hekel aan heeft. Op dat moment realiseerde ik me hoe erg we boffen. Brooke denkt niet alleen eerst aan haar dochters, ze weet ook dat haar man het zelden goed doet, dus stuurt ze hem herinneringen. Wat boffen we allemaal toch. Geen kaartje, geen ontbijt op bed, gewoon tomaten.

DAG
KEITH 166 BROOKE
13 mei

Vandaag was de dag van de Eiffeltoren. En als je op de hoogte bent van Elena's wensenlijst, dan weet je dat dit haar grote wens was. Nou ja, samen met de cafetaria dan. Honderdzesenzestig dagen geleden zijn Elena en ik, na het nieuws dat ze misschien nog maar honderdzesendertig dagen te leven had, de hele nacht in het ziekenhuis opgebleven om te praten over wat ze wilde doen als we het ziekenhuis uit waren. Ze wist niet waar de lijst voor was en dat ik er ook voor zou zorgen dat de lijst zou uitkomen.

Wens nummer twee op de lijst was: een bezoek aan de Eiffeltoren. Niet de Eiffeltoren in Parijs, maar de Eiffeltoren in het plaatselijke pretpark iets

ten noorden van waar we wonen. Omdat we er op weg naar Brooke's ouders altijd langskwamen, heeft Elena zich al die jaren afgevraagd hoe het zou zijn om erop te staan. Vandaag gingen we dan eindelijk naar het park om de toren te beklimmen. De lucht is helder en de temperatuur, 22 graden, is perfect. Dat het personeel had gehoord over Elena's wens en ons de kaartjes cadeau had gedaan, kon natuurlijk ook geen kwaad.

Nadat we er ongeveer een uur waren en weerstand hadden geboden aan Gracies overweldigende verlangen om in enkele attracties te gaan, gingen we dan eindelijk de lift in naar de top. Met haar rolstoel tegen de glazen wand aan gingen we omhoog in de toren van 96 meter. Maar door haar pas ontdekte hoogtevrees, die ze ergens halverwege de ziekte heeft opgedaan, was ze bepaald niet enthousiast en wilde ze op zijn minst anderhalve meter bij de rand vandaan blijven. Daardoor had ze beperkt uitzicht op de horizonten in het noorden, oosten, westen en zuiden, maar het effect was hetzelfde.

Voor Brooke en mij was deze gelegenheid een symbool van de triomf over het tijdsbestek van 135 dagen. Elena was vooral op zoek naar het huis van haar kleuterjuf (die haar op school blijkbaar had verteld dat je haar huis en honden vanuit de toren kon zien liggen). We hebben het huis met de twee honden in de achtertuin nooit gevonden, maar we hebben wel een foto als aandenken. Het was al weer snel tijd om in de lift te stappen, nu met onze rug tegen de glazen wand aan, en ons bezoek aan het park voort te zetten.

Hoewel er de afgelopen twee, drie dagen een enorme vooruitgang heeft plaatsgevonden, viel me vandaag op dat ze weer achteruit is gegaan. De vinger bewoog niet meer zoals daarvoor, de rechtervoet sleepte weer, ze praatte onduidelijk en haalde moeizaam adem. Ik hield mezelf voor dat het door allergieën, slaapgebrek of zelfs de zon kwam. Omdat ik niet wilde toegeven dat het iets anders kon zijn, zocht ik naar een excuus en probeerde ik zelfs de signaleren te negeren. Er was de afgelopen week zoveel positiefs gebeurd dat we haar geen van beiden op deze manier wilden zien. Misschien zijn we gewoon overbezorgd, maar morgen weten we het echte verhaal. Of het door de slaap en de zon kwam, of door de tumor. Op zichzelf maken de symptomen het niet nodig om stappen te ondernemen,

maar allemaal bij elkaar baren ze ons zorgen. En alsof we nog in de ont-
kenningsfase zitten, hebben Brooke en ik het niet gehad over de symptomen die zij ook gezien moet hebben. Vandaag was een goede dag en
ik denk dat we dat gevoel geen van beiden kwijt willen.

DAG
KEITH **168** BROOKE
15 mei

Een wijze dame, die ook een kind met DIPG heeft, vertelde me ooit: 'Je moet
een dag nooit een slechte dag vinden, want misschien is hij beter dan morgen. Wees God dus dankbaar dat je de dag überhaupt hebt gekregen.' Ik kan
je niet vertellen hoe vaak deze woorden me door de dag hebben geholpen.
We geloven elke dag dat we ons best doen. Dat we ons tot het uiterste in-
spannen en niet meer kunnen doen. Dat de strijd die we vandaag moeten
voeren erger is dan alles wat we ooit hebben moeten verdragen. Dat het
op een dag gemakkelijker zal worden, maar dat gebeurt steeds maar niet.
Wat we vandaag als onmogelijk beschouwen, zal morgen onbeduidend
lijken. En zo gaat het maar door.

Dat is je overlevingsmechanisme. En voor de mensen die deze verantwoordelijkheid aanvaarden: het leven is soms zowel een last als een groot
plezier, vooral bij wat we met Elena meemaken. Ik ben gaan begrijpen wat
'overlever' betekent. Het is een benaming die wordt toegewezen aan degene
die een zweem van licht in een zaal van duisternis waarneemt. Het is iemand
die geen twijfels kent, geen angst en alleen vertrouwen, soms irrationeel.
Het is iemand die gelooft dat alleen hij of zij de oplossing kan vinden en dat
dat op het aangewezen moment duidelijk zal worden. Het is een vertrouwen waar optimisme en geloof van uitgaan.

Ik vraag me vaak af of wij het in ons hebben om overlevers te zijn. Kunnen we alleen op een onbewoond eiland zijn en erop vertrouwen dat we
weer thuis kunnen komen? Of zouden we steeds de horizon afspeuren in
de hoop gered te worden? En zouden we ons dan onder druk voelen staan
om een onmogelijke oplossing te vinden? Geen eten, geen onderdak en

afzondering. Zou dat te veel zijn? Zouden we denken dat het niet erger kon en later ontdekken dat het toch wel erger kon?

Een overlever zijn moet meer inhouden dan alleen het hebben van een oplossend vermogen, je moet je ook kunnen redden. Opeens begrijp ik wat het betekent en ik vraag me af of we tegen de uitdaging opgewassen zijn. Ik twijfel er niet aan dat Elena het is. In een tijd waarin zij op haar slechtst is en ogenschijnlijk geen enkele andere belasting zou verduren, neemt ze nog steeds de tijd om een zus te zijn voor Gracie. Door alle ellende heen helpt ze haar met de voorbereiding op de kleuterschool, met naar bed gaan en zelfs tandenpoetsen. Voor haar betekent een overlever zijn ook mens zijn.

Soms zie ik haar aan tafel moeizaam ademhalen of door een rietje drinken en dan vraag ik me af hoeveel ik nog aankan. Zou het niet beter zijn om gewoon rust te hebben, wat de uitkomst ook is? Of draait het leven om meer dan je gewoon lekker voelen? Op de een of andere manier weet ik het antwoord daarop al, ook al vraag ik het me elke dag af.

Het leven draait om de strijd, de passie en de liefde die we koesteren voor onze kinderen. Toch verbaast het me dat ik kennelijk denk dat ik degene ben die moet vechten terwijl het eigenlijk niets met mij te maken heeft. Het is Elena's gevecht en ik ben louter een toeschouwer die haar moet steunen en van haar moet houden. Zij is de echte vechter en de echte overlever. Brooke, Gracie en ik kunnen Elena alleen maar omhelzen en haar elke dag sterker maken. Wij hebben geen kanker, wij zijn niet verlamd en wij hoeven deze laatste strijd niet aan te gaan. Elena wel, alleen. En als ze erin slaagt, zal ons gezin één zijn. Als ze faalt, dan zullen we verloren zijn en ons moeten redden, als overlevers. Het leven draait om de strijd en het hoort toe aan de overlevers.

DAG

170

KEITH · BROOKE

17 mei

Ze zeggen dat we niet te veel moeten verwachten van de eerste dagen na de chemo. Ze krijgt misschien diarree, is waarschijnlijk misselijk en zeker uitgeput. Als Elena een rebelse houding heeft bij haar ouders; zij is al helemaal opstandig tegen de artsen. Ik heb haar vanmorgen laten uitslapen. Zelf werd ik om half acht wakker, toen moest ik haar gezicht zien. Er gaat tegenwoordig van alles door me heen als ik die deur opentrek. Vandaag, toen ik naar binnen sloop, lag ze naar het plafond te staren. Ik hield mijn adem in. In plaats van een zware ademhaling of gekreun dat haar rechterzijde het niet deed, draaide ze haar hoofd gewoon naar me om, breed glimlachend. Mijn hart maakte een sprongetje; ik voelde me niet alleen goed, ik was in de wolken.

DAG
KEITH **173** BROOKE
20 mei

De uitputting heeft toegeslagen. Ik ben al zo vaak lichamelijk vermoeid geweest. Gewoon moe, omdat ik geen goede nachtrust had gekregen. Maar uitputting is totaal iets anders. Ik word elke ochtend wakker, te moe om nog te slapen, me realiserend dat ik al maanden niet meer heb gedroomd. Bij het aankleden realiseer ik me pas halverwege dat ik twee verschillende schoenen heb aangetrokken en dat ik nog niet goed wakker ben. Ik rij door de stad maar herinner me niet welke route ik heb genomen. Ik ga zitten om te eten maar krijg geen hap naar binnen, ook al heb ik honger. Of nog erger, ik eet maar door, ook al heb ik genoeg gehad. Ik heb me ertoe gezet om lijstjes bij te houden zodat ik weet hoe mijn dag eruitziet, maar ik verlies ze steeds. Ik merk dat het me moeite kost om op namen te komen van mensen die ik al jaren ken. En in mijn hoofd is er maar een gedachte, elk uur van de dag: Elena.

Ik vraag me vaak af of Elena dit ook ervaart. Vermoeid is ze zeker; we zien de effecten van de chemotherapie op haar gezicht en in het aantal dutjes dat ze doet. Uitputting is weer iets anders. Die hebben we vandaag denk ik voor het eerst waargenomen. We hebben ons best gedaan om hem tegen te gaan met agressieve lichaamstherapie en een positieve kijk, maar de lijnen op haar gezicht zeggen iets anders. Lijnen horen niet thuis op het gezicht van een zesjarige. Ik zag het toen ze tijdens het lopen weer meer met haar voet sleepte, ook al kon ze hem tijdens de therapie beter buigen dan ooit. Ik zag het aan haar hand, die bungelde over de armleuning van haar rolstoel, minder dan een uur nadat ze er de hoeken van de posters mee had neergedrukt om haar handtekening te zetten voor de tentoonstelling. En ondanks onze goede bedoelingen zag ik hoe ze het opgaf en ging liggen slapen op de bank. Eigenlijk doet ze overdag nooit echt dutjes.

We vragen haar wat ze denkt, omdat we op de een of andere manier geloven dat we haar rust kunnen geven door haar gedachten te kennen. Het is een risico, want we zullen moeten liegen als ze die ene vraag stelt waarvan we hopen dat ze hem niet stelt. Vandaag zei ze tegen ons dat ze het heerlijk vond om te zien dat iedereen haar schilderij kocht en dat ze er blij van werd om het op de tentoonstelling te zien. Gelukkig was het antwoord vandaag iets goeds. Toch eist haar uitputting en de onze zijn tol. Er is helaas geen uitweg of einde, althans niet een die we willen.

DAG
KEITH **174** BROOKE
21 mei

Vandaag zijn we klein begonnen. Vijf jaar geleden leerde ze lopen door eerst te leren kruipen, en daarom dachten we dat dat nu ook de beste manier was om te beginnen. De rolstoel was een vervoermiddel en niets meer. Als ze aan tafel wilde zitten, moest ze naar de stoel lopen en gaan zitten. Als ze wilde tekenen of knutselen, kon dat ook op de vloer. En als ze niet bij haar pen kon, moest ze kruipen om hem te kunnen pakken. Maar als je al anderhalve maand in een rolstoel zit, vormt zelfs de eenvoudigste handeling een uitdaging. Ze deed er tien minuten over om twee meter te kruipen om bij een kraaltje te komen en viel vaker op haar buik dan je je kunt voorstellen. Maar aan het eind van de dag realiseerde ze zich dat langzame, voorzichtige bewegingen beter waren dan grote, en dat ze zich beter kon concentreren als ze ophield met huilen.

Wat ooit vanzelf ging, moet nu opnieuw worden aangeleerd.

Overigens, de volgende keer dat je Elena ziet, moet je haar vragen wie Ed de Eekhoorn is. Bij het ontbijt blijkt Elena namelijk een weddenschap met mama te hebben afgesloten dat zelfs de eekhoorn buiten op de muur haar pil niet zou opeten. Mama hield voet bij stuk en zette er vijf dollar op in. De pil ligt onaangeroerd op de muur en de eekhoorn is nergens meer te bekennen. Morgen is Elena vijf dollar rijker of zie je een chagrijnige eekhoorn de straat onveilig maken. Het ziet ernaar uit dat mama weer aan de verliezende hand is.

DAG

176

KEITH BROOKE

23 mei

Een boterham met pindakaas en jam, een koekje en chocolademelk. Soms een aardbei op de dagen dat de steroïdenhonger opkomt. Elena is dol op picknicken in de achtertuin. De bries is koel, het gras is warm en even respijt van de bank in de woonkamer is aanlokkelijk. Zo begint de woensdag met papa.

Soms horen we de havik die boven ons hoofd een nest bouwt in de eik. Andere keren kunnen we elkaar nauwelijks verstaan door het gebeuk van hamers en het gegil van cirkelzagen, want timmermannen zijn ons huis aan de achterkant aan het uitbouwen. Ooit leek het een goed idee, maar nu, na haar diagnose, is het een afleiding waar we niet op zitten te wachten. We gaan er toch maar mee door, al hebben we de tekeningen aangepast zodat er op de begane grond een slaapkamer voor Elena kan komen met een rolstoeltoegankelijke badkamer.

Tijdens de lunch vraag ik haar welke kleur de muren van haar nieuwe slaapkamer moeten krijgen. Ze haalt alleen maar haar schouders op. Misschien roze, stel ik voor. Ze wendt haar blik af. We zwijgen verder. Weer denk ik dat ze meer weet dan ik wil dat ze weet. Het huis is in oktober klaar, maar met haar ziekte moeten we niet verwachten dat het langer dan juli zal duren. Het is al bijna juni. Ik betwijfel of ze haar nieuwe kamer ooit zal kunnen inrichten.

We proberen over iets anders te praten maar praten over ditjes en dat-jes gaat altijd over de toekomst. Vragen als waar ze naar toe wil op vakan-tie, 'Heb je zin om weer naar school te gaan?' en 'Wat wil je voor je ver-jaardag?' lijken allemaal onnozel. Ik vermoed zelfs dat ze weet dat ze niet zo lang meer heeft. Dus zwijgen we.

We geven deze kinderen cadeaus en vakanties terwijl we ze geen hoop of genezing kunnen geven. En ze kennen het verschil. Ik geloof dat Elena het weet. Ik zie het aan haar glimlach en aan de tekeningen die ze maakt. Ze gaan over liefde, maar ook over eindigheid. 'Ik hou van jullie mama, papa en Grace,' schrijft ze, alsof ze ons nooit meer zal zien.

Na de picknick liggen we op onze rug naar de wolken te kijken, haar hoofd ligt op mijn arm. We wisselen geen woorden, alleen af en toe een blik en stilte. Ik hou ook van jou, Elena.

DAG
KEITH **178** BROOKE

25 mei

Welke invloed heeft kanker op een kind? Welke invloed heeft het op mijn kind, afgezien van de klinische effecten? De afgelopen twee weken zijn me veranderingen bij Elena gaan opvallen waarvan ik vrees dat ze nooit meer goed zullen komen. Waar eens een kind was, is nu een volwassene. Waar ooit onschuld was, is nu cynisme. Waar ooit een glimlach was, is nu min-achting. De momenten zijn vluchtig maar ze gaan de zorgeloze manier van doen van een zesjarige steeds meer overheersen. Nu vraag ik me af of we het kind in haar ooit terug zullen zien.

Als je je afvraagt hoe haar houding in de toekomst zal zijn, ga je ervan uit dat er een genezing gaat plaatsvinden. Dat is het goede. Misschien is een verloren jeugd het enige waar we bang voor moeten zijn als de kanker weggaat. Dat is op zich al een geloofskwestie. Maar als ze voor de derde keer herstelt, staan we weer boven op de heuvel met uitzicht op de horizon en stellen we weer vragen over de toekomst. Beneden zie je alleen de grond. Dus toen ik vanavond Elena's haar waste en haar in bed legde, merkte ik dat ik het meisje zocht dat ik eens kende. Maar in haar ogen zie ik alleen een holle, wantrouwige blik. Nadat er eindeloos in haar geprikt en gepord is, ze in haar hebben gesneden en haar hebben laten bloeden, er aan haar getrokken is en ze vergiftigd is, kan ze niet langer doen alsof ze van niets weet. Ze is volwassener dan ik ooit zal zijn.

Kanker of elke andere terminale ziekte maakt van helden martelaren en haalt de ziel uit de overlever. Het zal onmogelijk zijn om haar terug te krijgen. Geen snoep, geen bloemen zullen haar helpen om dit gevecht te vergeten; het is voor altijd deel van haar leven en deel van haar toekomst. Toch kan ik niet hopen op meer, want overleven is het enige doel.

Als ouder begin je je ook af te vragen hoe ver je moet gaan. Als dit geen genezing brengt, gaan wc dan nog verder, van het experimentele naar het onwaarschijnlijke? Wanneer moeten we het opgeven? Kan overleven erger zijn dan de dood? Op dit moment richten we ons op overleven, en ik zal die vraag nict kunnen beantwoorden tot hij zich voordoet. Ik bid dat die dag nooit zal aanbreken.

DAG 181
KEITH 181 BROOKE
28 mei

In mijn familie weet je dat je het gemaakt hebt als je op de binnenkant van dc toiletdeur belandt. Televisiestations zenden zomaar wat uit, in de kranten proberen ze ruimte te vullen, Nobelprijzen zijn gemeengoed en zelfs de paus kan een willekeurige heilige aanwijzen, maar als je bij mijn opa aan de achterkant van de toiletdeur hangt, is dat een ongelofelijke eer. Waarom de toiletdeur? Waarom niet het prikbord in de keuken of een boekenplank in de woonkamer? Geen idee, de binnenkant van de toilet-deur is altijd dé plek geweest voor familieleden die iets voor elkaar hadden gebokst. Er hangt een krantenartikel van mijn oudtante en oudoom die deelnamen aan een mars tegen borstkanker, een artikel over een familie-lid die 'leraar van het jaar' was geworden en een krantenfoto van mijn zus die de staart van een paard kamt voor een show. Zij zijn de helden van mijn familie, de mensen die tot in de eeuwigheid op de binnenkant van de toiletdeur geëerd zullen worden. Als kind wenste ik dat mij die eer ooit ten deel zou vallen.

Maar vanavond deelde mijn opa me mee (Elena kent hem als 'opa-opa') dat Elena een ereplek heeft ingenomen op de bewuste toiletdeur. Dus nu weten we dat ze echt invloed heeft op anderen. Met ingang van vorige week kan iedereen die zijn toevlucht zoekt bij de goden van de loodgieterskunst, zich vergapen aan haar krantenartikel en het meesterwerk *I Love You*. De felle kleuren, met blauwe en roze schakeringen, zullen de bezoekers van mijn opa's toilet, een reliek uit de jaren zeventig, er hopelijk tijdig aan herinneren dat het verstandig is de waarde van hun huis met verbouwingen op peil te houden. En nu weten we dat haar invloed vertienvoudigd is, niet in de laatste plaats vanwege de omvang van mijn familie.

Alle gekheid op een stokje, die toiletdeur staat ergens voor. Hij staat voor een prestatie en de onzelfzuchtige indruk die ze op mijn familie maakt. En ook al weegt het misschien niet op tegen een debuut in het kunstmuseum tussen evenknieën als Van Gogh en Picasso, een voorpagina-artikel in de krant of de kunstenaar van de plaatselijke kunstmarkt zijn, deze erkenning betekent het meest voor haar omdat hij van haar familie afkomstig is.

Op 1 juni wordt Elena door de gemeente in het zonnetje gezet, want die dag wordt uitgeroepen tot 'Elena Desserich Dag' vanwege haar invloed op de stad en zijn inwoners. Ik had nooit gedacht dat mijn dochter zoveel impact zou hebben of door zoveel mensen gewaardeerd zou worden. Eerst wist ik niet eens wat een proclamatie was. Maar nadat ik de tekst had gelezen die de gemeentesecretaris me vorige week heeft opgestuurd, begreep ik de betekenis ervan. Maar ook zonder proclamatie begrepen we dat we de ouders zijn van twee heel bijzondere meisjes.

Elena zal vrijdag bij de presentatie ongetwijfeld onder de indruk zijn en zich vereerd voelen. En als we boffen, zal ze zelfs door de steroïden heen glimlachen als ze een kopie van de proclamatie krijgt, compleet met een groot, blauw lint. Ze hebben me verteld dat hij samen met een foto van haar in het plaatselijke recreatiecentrum komt te hangen waar iedereen hem kan zien. Voor Brooke en mij is het meer dan we ooit hadden durven hopen. Elena zou er echter volmaakt tevreden mee zijn om alleen aan de binnenkant van de toiletdeur te hangen.

DAG
KEITH **182** BROOKE

29 mei

Gracie heeft ons harder nodig dan ooit. In plaats van dat we met haar spelen op de schommel brengen Brooke en ik de middag door bij Elena in huis. Het is warmer geworden en we zouden buiten moeten zijn met de meisjes in het speelhuisje, op de schommel en op de fiets. Maar Elena kan nauwelijks eten, laat staan schommelen. Dus zitten we binnen en kijken door het raam naar Gracie die in haar eentje speelt.

Ik merk dat ik de laatste tijd steeds vaker moet kiezen en dat het steeds Elena is waar ik tijd mee doorbreng. We weten dat haar dagen beperkt zijn, hoewel we het er zelden over hebben, dus doen we ons best om haar te troosten en van haar te houden. Maar daardoor is het Gracie die verliest. Ze verliest haar papa en mama, ze verliest de pret die een vierjarige op een zomermiddag maakt en uiteindelijk zal ze haar zus verliezen. We kunnen niets doen om dat te voorkomen. Brooke en ik proberen elkaar af te wisselen, hoewel we van elkaar weten dat we in de tijd die we met Gracie doorbrengen, wensten dat we bij Elena waren. We moeten kiezen tussen momenten die we zullen betreuren en herinneringen die we zullen koesteren.

Uiteindelijk zijn Gracies mijlpalen niet minder belangrijk dan die van Elena. Maar als een leven wordt samengeperst in zes korte jaren, lijkt elke seconde wel een dag te duren. Gracies momenten zijn er morgen ook nog; althans dat prenten we onszelf in. Maar toch, hoe verruil je het ene kind voor het andere? Ik hoop dat Gracie het begrijpt, ik reken er wel op.

Gracie schommelt vandaag dus alleen. Ik vrees dat dit niet de laatste keer zal zijn. En als we Elena kwijtraken, zullen we dan de tijd betreuren die we met Gracie zijn verloren? Is die dan minder kostbaar? Ik weet het antwoord niet. Dus kiezen we. Gracie schommelt alleen en wij knuffelen Elena op de bank.

DAG

KEITH 184 BROOKE

31 mei

Ik kan de laatste tijd moeilijk naar foto's kijken. Nu het eind van het schooljaar in zicht is, beginnen we sentimenteel te worden. Ik wilde dat ik zoals andere ouders bezig was met zomerkampen en speelafspraakjes, maar in plaats van vooruit te kijken, merk ik dat ik achteruit kijk.

Vandaag sloegen we Elena's jaarboek open. Haar foto sprong eruit door haar brede glimlach en haar mooie, grote ogen, waarvan we wisten dat ze alle jongensharten zouden doen smelten. Ik kon mijn emoties niet de baas toen ik de bladzijde omsloeg en Elena zag met de indiaanse hoofdtooi die ze tijdens de lunch met Thanksgiving had gedragen. Dat was de laatste dag van de onschuld. De laatste dag zonder zorgen. De laatste schooldag voor we haar meevoerden naar eindeloze dagen vol artsen en behandelingen. Met haar al iets vervormde stem had ze me verteld waarom ze liever een indiaan wilde zijn dan een pelgrim. Ik mis het dat ze zo leergierig was. Ik weet zeker dat ze nog steeds enthousiast is over school, maar ze laat het niet meer zien.

Ik staarde maar naar de foto van Elena, denkend hoe mooi en jong ze eruitzag. Ik wist niet dat een meisje door een ziekte in vijf maanden tijd vijf jaar ouder kon worden. Ik heb het niet eens over haar wangen, die sinds kort helemaal bol staan. Als ik haar aankijk, zinkt de moed me in de schoenen omdat haar ogen zo vermoeid staan en zo 'ervaren' kijken. Weg is de onschuldige schittering die je bij kleuters ziet. Ze weet meer over deze wereld dan deze kinderen in de komende jaren zullen weten, goede en slechte dingen.

DAG

KEITH 185 BROOKE

1 juni

Verdraaid, ze heeft haar eigen uithangbord! Gracie was even verbaasd als ik toen we vanmiddag naar huis reden. Op het reclamebord van het gemeentelijk recreatiecentrum stond de prominente boodschap: 'Vandaag is het Elena Desserich Dag'. Dus ze meenden het van die proclamatie.

De dag begon vroeg, want Gracie werd om vier uur 's ochtend wakker. Blijkbaar kijkt ze even verwachtingsvol uit naar 'Lena Dag', zoals zij het noemt, als naar Kerstmis. Misschien was ze teleurgesteld door het ontbreken van cadeautjes of een boom, maar ze sprong blij uit bed om zich tegen haar zus aan te nestelen en haar een fijne Elenadag te wensen. Elena verroerde zich nauwelijks. Desondanks gaf Gracie haar een tikje op haar wang, kuste haar en bood haar als troost haar felbegeerde 'tut' aan (de satijnen kussensloop waar ze elke avond mee gaat slapen). Toen ik de genegenheid zag die ze voor haar zus toonde, vond ik het helemaal niet erg meer dat ik zo vroeg wakker was geworden.

De officiële proclamatieceremonie vond plaats om zes uur 's avonds, na
een lange dag (en twee dutjes voor Elena) gevuld met school en zwemmen.
Als onderdeel van de ceremonie zou Elena's schilderij officieel worden opgehangen in het recreatiecentrum, naast een kennisgeving waarop 1 juni
werd uitgeroepen tot Elena Desserich Dag. En terwijl we gehuld waren in
onze vermomming van badkleding en zonnebril, werd Elena geëerd vanwege haar moed, haar dapperheid en haar inspirerende voorbeeld. Na een
paar keer 'in aanmerking genomen', 'zodoende' en 'desalniettemin' werd
het een legale en officiële proclamatie voor de komende jaren.

Vanavond, nu de Elena Desserich Dag zijn einde nadert, hangt haar
proclamatie aan de muur van het recreatiecentrum en in haar slaapkamer.
Maar in ons hart zal morgen altijd specialer zijn dan vandaag, ongeacht
de kersverse feestdag. Morgen brengt een belofte met zich mee, vandaag
brengt hoop. In de tussentijd wens ik je een prettige Elenadag! Verdraaid,
ze heeft haar eigen uithangbord!

De laatste tijd nemen we onze toevlucht tot afleiding om de stress te verlichten. In plaats van ons bij het eten te concentreren op haar frustraties, lezen we de krantenkoppen in de lokale krant. Als ze niet eens kan zitten zonder om te vallen, kiezen we verfkleuren uit voor de uitbouw. Als haar rechterhand het laat afweten, proberen we het huis schoon te maken. Maar het werkt nooit. Krantenkoppen doen er niet toe, kleuren zijn onbelangrijk en het huis zal toch nooit meer schoon zijn. Onze gedachten zijn bij Elena en de toekomst, hoe hard we ook proberen onszelf en onze geestelijke gezondheid te beschermen.

Het pijnlijkst is het gevoel machteloos te zijn. Vanaf het begin van je leven krijg je immers te horen dat wie goed doet, goed ontmoet. Je krijgt zakgeld als je de vuilniszakken buitenzet. Haal je goede cijfers, dan mag je een ijsje. Maar al die tijd is controle het enige wat je niet kunt krijgen. Nu begrijpen we pas goed hoe weinig controle we over ons leven hebben. Als we naar Elena kijken, vragen we ons af wat we verkeerd hebben gedaan en hoe we het goed kunnen maken. Ik mag graag geloven dat we ons leven zuiver en ten dienste van anderen hebben geleefd, maar vraag me toch af of we meer hadden moeten doen.

Het is belachelijk om te denken dat dit iemand overkomt door een reden en toch kun je het idee niet van je afschudden. Het zal je ook nooit lukken, hoeveel mensen ook het tegendeel beweren. Toch wil je dat het waar is. Niet omdat je jezelf de schuld wilt geven; schuld heeft er niets mee te maken, hoeveel mensen dat ook veronderstellen. Je wilt dat het waar is omdat het je leven betekenis zal geven en je het vertrouwen garandeert waar je naar hunkert.

Als het leven om consequenties en liefdadigheid draait, heb je immers weer controle. Dan kun je tragedies wegwimpelen op basis van zonde en jezelf perfectioneren in de jacht op geluk. Je zult niet langer bang zijn voor het leven en twijfelen aan morgen, omdat het leven kan zijn zoals je wilt.

Daarom is tijd eindeloos en zonder echte waarde. Goede daden betekenen meer tijd.

In werkelijkheid is het beter zonder controle. Want zonder controle is tijd de ultieme verzoenbare factor. Goede daden worden niet gedaan vanwege een beloofd fortuin, maar omdat ze de goede dingen zijn om te doen. En vandaag is het enige om voor te leven. Dat is de les van Elena en de tragedie van een terminale ziekte. Helaas is het een les waarvan we wensen dat we hem nooit hadden hoeven leren.

Zelfs ons dagboek is een afleiding. Op zware dagen doen we aan zelf-bespiegeling en op goede dagen schrijven we hoe we de dag als gezin hebben doorgebracht. Vandaag was geen goede dag. Ze kon niet staan, nauwelijks eten en niet eens zitten zonder om te vallen. En ook al zeggen ze dat je pas vijf dagen na de behandeling conclusies kunt gaan trekken, Brooke en ik vragen ons toch af hoeveel langer we nog kunnen wachten. Morgen is de vijfde dag en we hebben geen tastbare verbeteringen gezien na het dieptepunt op woensdag. Dus kijken we tv, schrijven we in het dagboek en bestuderen we kleurstalen, terwijl we de hele tijd die ene gedachte hebben waarover we nog niet kunnen praten.

DAG
KEITH 187 BROOKE
3 juni

De mensen bij het tankstation dachten dat ik gek was. Nee, niet alleen omdat ik er met mijn SUV stopte terwijl de benzineprijs nog nooit hoger is geweest, dat was juist het enige normale deel van het tanken. Nee, de blikken begonnen toen ik gezichten trekkend en op de ruiten bonzend rondjes om de auto begon te lopen. Wat ze vanwege de getinte ruiten niet zagen, was dat Gracie en Elena op de achterbank vol verrukking naar papa's capriolen zaten te kijken. Ik ben namelijk niet echt gek (althans nog niet), maar ik ben uit op glimlachen. En in dit spel gaat het om het verrassings-element en goedkope visuele grappen.

Ik ren van de ene naar de andere kant, verschijn steeds achter een andere ruit met een ander gek gezicht. Dan buk ik weer om naar de volgende ruit te rennen, uitkijkend om niet over de slang te struikelen. Nu duik ik op boven de motorkap zodat ze me door de voorruit zien. Dan weer bons ik op de achterkant, waardoor er een gilletje van verrassing en gelach wordt uitgelokt dat alleen ik buiten de auto kan horen. Maar na drie rondjes schreeuwen mijn armen en benen om verlossing, ook al roepen de meisjes binnen om meer. Jammer dat ik niet die kleinere auto heb gekocht, dan was ik al klaar met tanken. In plaats daarvan zit ik nu nog maar op veertig dollar en bij een suv betekent dat dat je halverwege bent. Ik moet terug-vallen op oude trucs. Ik begin met de trappentruc en dan met de roltrap. Brooke rolt met haar ogen, maar de meisjes willen meer. 'Hier, pap,' roept Gracie wijzend op haar raam. De ervaring heeft kennelijk een specialere betekenis als die bij haar raam plaatsvindt. Gehoorzaam loop ik om de auto heen. Maar als ik aan de achterkant van de auto ben, hoor ik de pomp klikken. Het is tijd om te vertrekken.

Ik wil dat ze glimlachen, ik wil dat ze lachen. De volgende keer als je me met zwaaiende armen en bonzend op de ruiten om mijn auto ziet rennen, weet je dat de meisjes erin zitten en dat ik aan het werk ben om een glim-lach te krijgen. Je kunt kijken wat je wilt, en het dan met je eigen kinderen proberen. Dan zijn we samen de gekken van het pompstation.

DAG
KEITH *190* BROOKE
6 juni

Je voelt de opwinding in de lucht. Het is de dag vóór de laatste schooldag. Jammer dat ik vandaag niet naar de 'echte' laatste schooldag kan. Ik haat morgen omdat ik niet wil dat er een eind komt aan school, aan de vooruit-gang, aan het leren, aan het doel. Drie maanden is geen eeuwigheid meer en ik wil daar zo wanhopig graag met haar op de schoolbel staan wachten. Ik heb wel twintig minuten naar het papier staan staren waarmee je schoolspullen bestelt voor volgend jaar. Ik heb nog nooit zo graag een formulier willen invullen als op dat moment. Maar ik legde het neer en ging internet op in een wanhoopspoging om een overlevende van DIPG te vinden. Als ik toch alleen nog maar hoop had.

DAG
KEITH *196* BROOKE
12 juni

Door de jaren heen heeft Elena altijd complimenten gekregen over haar prachtige ogen en mooie haar. Om de aandacht te vestigen op haar lange lokken had ze de meest uiteenlopende verscheidenheid aan elastiekjes, speldjes en natuurlijk haarbanden ter wereld. Haarbanden in alle kleuren en de meeste met iets glinsterends als bergkristallen of lovertjes. Elena droeg nooit opzichtige kleding, want ze wist dat de 'bling' in haar haar hoorde. Dit jaar nog vroeg ze of ze haar haar zelf mocht borstelen voor het naar school gaan en ze deed haar uiterste best om te zorgen dat het glad was en glansde voordat ze de uitverkoren versiering van de dag indeed.

In het begin waarschuwden de artsen ons voor de kans dat haar haar zou uitvallen waar de bestraling haar hoofd zou ingaan en uitkomen. Het dunde misschien wel een beetje uit, maar ze had zulk dik en lang haar dat ze het gemakkelijk kon verbergen.

Elena's eerste chemo was een lage dosis die ze oraal innam en die geen haarverlies veroorzaakte. Het was zelfs een beetje raar om met haar in het ziekenhuis rond te lopen. Meestal stonden er dozen met vrolijk gekleurde gebreide mutsjes op de balie, waar kinderen hun dagelijkse accessoire of bandana's konden kiezen, gemaakt van leuk materiaal en met hun favoriete personage erop. Ik weet nog dat Elena, opmerkend dat ze in de minderheid was, vroeg of ze haar haar zou verliezen. Nadat we haar op het hart hadden gedrukt dat dat niet het geval was, vroeg ze zowaar of ze een handgemaakt hoedje mocht uitkiezen.

Helaas is deze nieuwe chemo veel agressiever en zal ze zich bij haar vriendjes en vriendinnetjes in het ziekenhuis aansluiten en een geinig mutsje moeten opzetten. Vanavond zag ik voor het eerst veel meer haren in de borstel zitten. We vroegen haar of ze een nieuw kapsel wilde proberen en ze schudde nadrukkelijk 'nee'. We stelden voor dat ze even naar een paar kapsels zou kijken om te zien of er iets was wat ze mooier vond en ze haalde gewoon haar schouders op. Het zou vreselijk voor haar zijn om dat mooie, lange haar te verliezen nadat ze het zo moeilijk heeft gehad met de zwelling in haar gezicht. Misschien dunt het alleen uit. In elk geval zal ze nog steeds het mooiste meisje met die grote, heldere ogen en haar aanbiddelijke gezichtje zijn. We moeten gewoon het arsenaal aan haarversieringen uitbreiden naar de hipste hoedjes en mutsjes die iemand ooit heeft gezien.

DAG
KEITH 198 BROOKE
14 juni

Je wilt het wanhopig graag vergeten. Dit zijn niet de herinneringen die je wilt bewaren wanneer je aan je dochter denkt. In plaats daarvan wil je je haar lach herinneren als ze in de achtertuin achter haar zusje aan zit of als ze heel voorzichtig een baby vasthoudt. Maar vandaag was niet voor herinneringen. Vandaag ging over overleven. Toch zijn de uren en de momenten onbetaalbaar, en houd je ze dicht bij je.

Omdat ze nog moet herstellen van de chemotherapie kon Elena vandaag niet eten of drinken zonder dat dat ongelofelijk veel moeite kostte. Elke keer dat we een bekertje naar haar lippen brachten, begon ze te rochelen en te hoesten, voor ons een teken om te stoppen omdat we bang waren haar een longontsteking te bezorgen. De lippen en tanden waren al even onwillig, stijf op elkaar geklemd, waardoor noch de lepel, noch het rietje naar binnen konden. Dus houden we het voorlopig bij voedingsdrankjes die ze druppelsgewijs met een druppelaar binnenkrijgt. En als we geen eten bij haar naar binnen probeerden te krijgen, lag ze het grootste deel van de dag in haar bed naar het plafond te staren. Ik denk niet dat ze echt heeft geslapen, maar het was een excuus om niets te doen en dat vond ze fijn. Gelukkig hebben opa en oma haar vandaag meegenomen naar het zwembad om oefeningen te doen, want anders had ze de hele dag besteed aan het leren kennen van haar nieuwe favoriete kleur: plafondwit. Van wat ik heb gehoord, schopte en dreef ze het uur voorbij. Zouden ze in het zwembad ook plafondwit hebben?

Ik heb me nooit kunnen voorstellen dat ik mijn dochter ooit nog eens met een druppelaar zou moeten voeden of dat ik ook ten prooi zou vallen aan de melancholie van haar situatie en haar in het niets zou laten staren. Het is niet de herinnering die ik wil bewaren en ik ben niet van plan dit nog eens te herhalen. Dit was een dag zonder moraal en zonder bood- schap. Ik vraag me voor het eerst af wat er zou gebeuren als er een eind aan kwam. Zou het snel of langzaam gaan? Hoe zouden we reageren? Zou het onze schuld zijn? En meteen vroeg ik me af of ik me ertegen kon wapenen om haar te verliezen. Zou ik mijn gevoelens kunnen negeren en mezelf wijs maken dat het eigenlijk niet erg was? Maar door mezelf die vraag te stellen vond ik het antwoord. Het feit dat ik de vraag stelde, bewees dat het ertoe deed en dat ik niet kon ophouden met liefhebben of me dingen her- inneren. Toch was vandaag geen dag om te herinneren. Er moest een einde komen aan deze gedachtestroom. Morgen gaan we herinneringen maken.

DAG
199
15 juni

Comfort Care, Star Shine, Palliative Aid. Er blijken eindeloos veel namen te bestaan voor de meest gevreesde stap voor gezinnen met kanker. Van- daag zijn we met de grootste aarzeling begonnen met stervensbegeleiding. Onze dokter heeft ons daar de afgelopen weken al hinten over gegeven en erop aangedrongen dat we een afspraak maakten met de wijkverpleegkun- digen, al was het maar om alleen te praten. We verzetten ons steeds en zeiden dat we het onder controle hadden.

Maar nu geven we schoorvoetend toe en hebben we ons opgegeven, al was het maar om te voorkomen dat Elena een nacht in het ziekenhuis moet doorbrengen. Zodra we de beslissing hadden genomen, ging Elena weer meer drinken en at ze twee bakjes ijs en twee pretzels. De mond die niet open wilde voor papa's geprakte bananen, ging wijd open voor de donuts die oma voor het ontbijt had meegebracht. Ook positief was dat haar hand en voet losser waren dan ze in weken zijn geweest. Toch hebben we het plan doorgezet om het allemaal wat gemakkelijker te maken.

Vanmiddag hadden we een afspraak met het team van wijkverpleegkundigen en onze huisarts. We bespraken wat we konden doen om het haar gemakkelijk te maken en het verbaasde ons wat ze allemaal boden. Nu begrijpen we waarom onze huisarts er zo op hamerde dat we een afspraak moesten maken. Ik was bang dat wijkverpleegkundigen Elena als totaal opgegeven zouden behandelen, maar tot mijn vreugde hoorde ik dat ze zelfs een massagetherapeut voor haar hebben. Ik weet zeker dat die haar favoriet zal zijn.

Ze probeerden in dat uur ook twee oververmoeide ouders de honderd stappen uit te leggen om een infuuszakje aan te sluiten. Het uur daarop legden we hen de honderd stappen uit voor de omgang met Elena. We verzekerden hen dat zij het moeilijk zouden krijgen. Ze waren positief over de kans om Elena te helpen weer haar oude, koppige en onafhankelijke ik te worden. Ik stelde voor dat als de verpleegkundige morgenochtend snel vriendschap met haar wilde sluiten, ze maar beter donuts kon meebrengen. Wat begon als een lang gevreesd gesprek bleek tot mijn verrassing hoopgevend te zijn. Dit was niet het begin van het einde; dit was toegeven dat we soms een beetje hulp nodig hadden.

DAG
KEITH **200** BROOKE
16 juni

Daar gaat het politiemeisje of de juf. Gracie deelde ons vanavond mee dat ze officieel van carrière is veranderd en dat ze het nu zeker weet. In plaats van 'slechteriken doodschieten' en lesgeven wil ze nu dokter worden. En niet zomaar een dokter, maar Elena's dokter. Ze wil kinderoncoloog worden. Zij mogen immers blauwe handschoenen aan, luid piepende

apparaten bedienen en kinderen helpen. Wat kan nou beter zijn dan dat? En met haar voeten bungelend over de rand van het ziekenhuisbed fluisterde ze tegen mama dat het beste van dokter zijn was dat ze 'een grote witte jas' aan zou mogen. We mogen beginnen met sparen voor de universiteit. En die jas.

Met haar blauwe rubberhandschoenen aan, die ze vingervlug uit het ziekenhuis heeft ontvreemd en in de zakken van haar korte spijkerbroek heeft gestopt, kwam ze tot haar besluit. Ze zou kinderoncoloog worden en ze moest 'opschieten met groot worden'. Elena had haar hulp immers hard nodig en Gracie wilde per se haar nieuwe dokter zijn. 'Dokter Gracie' noemt ze zichzelf al. Maar in de auto wierp Elena haar alleen maar een minachtende blik toe. Was Gracie immers niet hetzelfde meisje dat ons vorige week nog had verteld dat ze de vissen niet wilde voeren en dat we ze door de wc konden spoelen? Vooruit, ze zal zich nog wat moeten bekwamen in bedmanieren. Maar die mooie blauwe handschoenen heeft ze alvast…

We leven de laatste tijd in vluchtige momenten. Naarmate de dagen langer worden, gaat Elena's toestand steeds meer een vat vol tegenstrijdigheden lijken. Ze heeft zich na de laatste chemotherapie niet hersteld zoals we hadden gehoopt en nu overwegen we datgene waarvan we hadden gehoopt het te vermijden. Ik weet nu wat de mensen vóór ons hebben doorgemaakt. Toch zijn er nog hoopgevende tekenen: de onbedoelde glimlach voor ze hoest, de arm om mijn nek als ik haar de trap af til en het geeuwen. Ze zeggen dat het geeuwen een reflex is, maar Brooke en ik leven ervoor. Terwijl ze haar mond normaal maar een halve centimeter kan opendoen, gaat hij bij elke geeuw helemaal open. Het meest opbeurend is wel haar stem, die bij elke geeuw in zijn volle kracht en melodie weer even terug is. Waarom weten we ook niet, maar elke keer dat ze gaapt, hopen we even dat Elena's vermogens terugkeren en dat dit alles niet meer dan een vage herinnering zal zijn. Dat is natuurlijk niet zo. Toch zijn haar geeuwen momenten om te vieren, omdat we dan het geluid van haar stem en het zoete lied van de onschuld weer mogen horen. We proberen het geeuwen op te wekken, door zelf te doen alsof we geeuwen en uitgeput zijn, maar zonder resultaat. We kunnen alleen maar wachten tot de volgende gelegenheid zich aandient.

Hoe hard we het ook proberen, we kunnen ons Elena of haar stem niet herinneren zoals het ooit was. Daarom kijken we laat op de avond naar de dertig seconden durende videoclips uit het ziekenhuis die we met onze digitale camera hebben opgenomen. En ook al klinkt het niet zoals haar stem echt was, hij lijkt er voldoende op om herinneringen op te kunnen halen. Op sommige dagen vraag ik me af of we de schoonheid van haar gezicht ook zullen vergeten, of dat we ons alleen herinneren hoe het eindigde. Dat heb ik al eens meegemaakt, net zoals bijna iedere andere persoon die dit leest; ik ben alleen bang voor de gedachte.

Ik heb ook gemerkt dat ik steeds vaker met mijn ogen knipper. Als het te pijnlijk is om naar te kijken doe ik mijn ogen dicht, maar ik doe ze snel weer open omdat ik bang ben iets te missen. Het zal wel natuurlijk zijn, maar de laatste tijd, als ze op de grond valt, zich verslikt in noedels of huilt van uitputting, merk ik dat mijn ogen steeds langer dicht zijn. Misschien dat ze op een dag, als ik ze opendoe, opeens beter is. Maar dat is maar een droom. Op de een of andere manier denk ik niet dat ze morgen beter is.

DAG
203
KEITH BROOKE
19 juni

Ik voel me alsof ik de marathon heb gelopen. De afgelopen dagen heb ik dingen gevoeld die ik nooit heb willen voelen, ik heb zoveel gehuild dat ik er hoofdpijn van heb gekregen en er zit een knoop in mijn maag waar een padvinder trots op zou zijn. Keith en ik blijven elke avond laat op om iets te bedenken om Elena te laten eten zodat ze geen voedingssonde hoeft. Vanavond ben ik er twee uur mee bezig geweest om te proberen haar avondeten bij haar naar binnen te krijgen. We wilden onze horizon verbreden en de eeuwige yoghurtconsumptie eens vervangen door wat kippensoep. Na tien slokjes wilde ze niet meer. Ik vroeg haar of ze gewone melk wilde, niet de met vitaminen verrijkte variant die we haar steeds proberen op te dringen. Ze pakte het bekertje met medicijnen op en verslond ze zowat. Ze bleef daarna wel hoesten, maar dat deed Keith en mij niet minder perplex staan.

Toen Keith de kast opende om iets weg te zetten, hief Elena een bevende vinger op. Na haar twintig vragen te hebben gesteld kwamen we erachter dat ze kroepoek wilde. Zorgvuldig kauwde ze drie stukken weg. Vervolgens trokken we de ijskast en een kastje open zodat ze zelf iets kon uitkiezen. Haar avondeten bestond uit drie stukken kroepoek, een half plakje kaas, een lepel ijs en daarna, als beloning, een mondvol slagroom. Wat nou gezond? Zolang het maar niet door een voedingssonde hoeft. Er werd lang gekauwd op elke 'gang' en ze hoestte vaak, maar het ging wel naar binnen.

Nadat papa Gracie mee naar boven had genomen, vroeg ik Elena of ze nog meer wilde eten. Ze schudde haar hoofd en wees naar haar wangen. Eindelijk was ik erachter: ze was bang dat haar wangen nóg dikker zouden worden als ze meer zou eten. Ik vertelde haar dat ze prachtig was, maar ze schudde 'nee' en wees weer naar haar wangen. We probeerden haar uit te leggen dat het door de steroïden kwam dat haar wangen opzwollen en niet door het eten, maar ze weigerde ons te geloven. Ze moest eens weten.

DAG
204
KEITH BROOKE

20 juni

Alles wat ze ons tot nu toe verteld hebben, klopt niet. Ze zeiden dat ze na de bestraling nog drie maanden of 135 dagen te leven had. We zitten op dag 204. Ze zeiden dat ze misschien nog zeven maanden zou leven. De volgende week zal ze die mijlpaal halen. Ze zeiden dat we na een progressie misschien nog drie weken zouden hebben. Ze is al negen weken voorbij dat punt. En nu we door haar recente ademhalingsproblemen te horen krijgen dat we ons moeten voorbereiden op het einde en nadenken over een voedingssonde, merken we dat we weer het lot willen tarten. Vanmorgen werd ze wakker, dronk twee glazen melk en at een volledig ontbijt. Bij de lunch at ze crackers met kaas en vroeg ze of we naar het winkelcentrum konden gaan. En nu zeggen de artsen dat ze het gewoon niet weten, wat precies is wat we willen horen.

We kunnen alleen maar hopen op het abnormale. Normaal is terminaal, dus moet abnormaal het leven zijn. Hoe het ook moet gebeuren of hoe we het ook moeten verklaren, abnormaal zou ook genezing kunnen brengen. Zo is de geschiedenis van de medische wetenschap geschreven, met kleine stapjes, vallen en opstaan en abnormaliteiten. Ik geloof echt dat als we een remedie vinden tegen DIPG, we een remedie hebben tegen alle soorten kanker. De oplossing ligt in de meest uitzichtloze gevallen en in de ontwapenende houding van onze kinderen.

Uiteindelijk draait het medisch pionierswerk niet zozeer om onderwijs of research, maar om de moed en het vermogen om te zeggen: 'Ik weet het niet.' Dus toen haar artsen vanavond de moeite namen om in hun vrije tijd naar ons toe te komen, konden we vertrouwen putten uit hun oprechtheid. En toen ze Elena's toestand 'abnormaal' noemden, vond zowel Brooke als ik daar troost in. En toen ze zeiden: 'Ik weet het niet,' begonnen we te juichen. Wij weten het ook niet. Laten we er samen achterkomen. We zijn in heel goede handen.

DAG

KEITH **207** BROOKE

23 juni

Vandaag hadden we een excuus nodig om Elena te verwennen. Door haar haarverlies en de zwelling van haar wangen kon ze elke verstrooiing gebruiken die we haar konden bieden. Gracie, de avontuurlijke, ging als eerste. Roze en rode nagels en Shirley-Templekrullen, wat een gezicht! Gracie kennende was het totaal anders dan we van haar gewend zijn. Weg was de stoere meid, nou ja, tot de krullen begonnen uit te zakken. Elena, de timide ziel, was gefascineerd door de rode highlights van de vrouw van de stylist en besloot dat ze die zelf ook wilde. Na drie keer naar de haarstylist te zijn geweest – voor achtereenvolgens krullen, vlechten en een heus suikerspinnenkapsel – wilde ze iets anders, iets opstandigs. Afgezien daarvan hield ze gewoon van de kleur rood. En dan bedoel ik ook *rood*! *Permanent rood*! Het zij zo.

Mama en ik zouden geen nee zeggen tegen een meisje waar de afgelopen maanden in geprikt en gepord was en dat in en uit het ziekenhuis en van staat naar staat was gegaan. De grens ligt voor ons bij tatoeages en piercings, althans nu. Ik sluit niet uit dat ze de volgende keer in de salon toch een piercing of een tattoo willen.

Twee uur later was Elena een nieuw kapsel, een knuffelhond van een meter groot en een bosbessensmoothie rijker, allemaal giften van de salon, waar niets te gek was om Elena zich goed te laten voelen ondanks haar altijd razende rugpijn. Misschien zijn tattoos zo erg nog niet, zolang ze maar niet op mijn dochters zitten. Het uitstapje was zeker de moeite waard en Elena vond het heerlijk om met haar nieuwe haar te pronken. Misschien helpt het om haar aandacht af te leiden van haar wangen, al is het maar even.

26 juni

We noemen ze 'wildcards'. En ze worden meestal om twee uur 's nachts ingezet. Elena wordt wakker, geeft mama een por en kreunt iets onverstaanbaars. We vragen haar of ze op haar andere zij wil liggen. Ze schudt haar hoofd. We vragen haar of ze op haar rug wil liggen. Ze schudt haar hoofd. We vragen haar of ze wil dat we het dekbed over haar armen leggen. Ze kreunt weer, nu weten we dat ze nee zegt. We vragen haar of ze een ander knuffeldier wil. Ze schudt haar hoofd. We vragen haar of haar been pijn doet. Ze kreunt nee. Nu raakt ze gefrustreerd. We doen het licht aan om te zien of we iets van een aanwijzing op haar gezicht kunnen waarnemen. We vragen het haar weer te zeggen. Nu denken we dat ze ons zegt 'oma's jas uit te laten'. We weten dat ze dat niet zegt, maar durven het niet te herhalen uit angst dat ze boos wordt en daarna gaat snuiven en hijgen. Tijd om echt wakker te worden.

En voor we het weten zijn alle lampen aan en doen we een heel vroeg spelletje Lingo. Ze probeert te spellen, maar door de verlamming kunnen we alleen de E's en de L-len onderscheiden. Dit gaat niet werken. 'Haal het notitieblok!' Twee minuten later tekent ze een kleine U op het papier met een streep erdoorheen. 'Is het een tekening of een klinker?' Ze schudt slechts haar hoofd. We vragen of het in de kamer is. Ze schudt van nee. We vragen of het iets te maken heeft met haar lichaam. Ze kreunt nee. Dan stellen we haar de belangrijkste vraag van die avond: 'Heeft het met vanavond te maken?' Ze schudt van nee. Het gaat meestal als volgt:

Ze wil op haar zij liggen.

Ze wil op haar rug liggen.

Ze wil op haar andere zij liggen.

Ze wil haar handbeugel.

Ze wil haar handbeugel niet.

Haar rechterbeen zit op slot en er moet een kussen onder.

Ze wil haar ontbijt bestellen.

*Ze wil tegen je zeggen dat ze morgenavond met mama wil slapen
(nooit met papa).*

*Ze wil tegen je zeggen dat ze wil dat mama morgenochtend bij
haar thuisblijft (weer nooit papa).*

Ze wil geen therapie.

*Ze herinnert je eraan dat het dekseltje van het potje met visvoer
eraf ligt.*

Ze wil haar dekbed anders.

Ze wil weten hoe snel je op de bel reageert (deze vindt ze enig).

Ze slaapt nog en ligt op de bel.

Ze moet naar de wc.

Of het is een wildcard . . .

Meestal wil ze iets eenvoudigs als drinken of naar de wc gaan. Andere keren boffen we en raden we het de eerste of twee keer. De wildcards zijn het moeilijkst. Dan wil ze ons iets vertellen wat niets te maken heeft met het moment. Vaak is het gewoon een observatie en wil ze helemaal niets. Ze wil ons gewoon iets vertellen over iets wat ze eerder die dag heeft gezien. Of ze wil ons iets vertellen over iets wat ze morgen of overmorgen wil gaan doen. Ze wil zeggen dat ze morgen roze sokken wil gaan kopen of dat ze vijf vlaggen heeft geteld op de terugweg van het ziekenhuis. Het is in elk geval bijna niet te raden. Maar de eerste keer toen ze haar stem kwijtraakte, hebben we beloofd dat wij het niet op zouden geven als zij het niet op zou geven. Onze beloning: de grootste en kostbaarste glimlach ooit als ze beseft dat ze ondanks alles nog met ons kan communiceren.

Vandaag kwam de logopedist langs om te helpen bij het verbeteren van onze communicatie. Omdat ze geen gebarentaal meer kan gebruiken, gaan we uit van een fotoboek met symbolen en woorden. Vandaag hebben we dus foto's gemaakt van bijna alles in huis dat ze ooit nodig zou kunnen hebben. We hebben foto's genomen van haar dieren, haar stoel, haar kussen en zelfs haar ijs. Daarna hebben we foto's genomen van haar in bed; op haar zij, op haar rug en met het dekbed over haar heen. De laatste groep foto's zal in een afzonderlijk deel van het boek komen dat de titel 'Nacht' krijgt. Misschien krijgen we dan een beetje meer slaap. Gisternacht werd ze maar liefst acht keer wakker. Zeven van die keren wilde ze anders liggen. Eén keer was het een wildcard. Toen deden we er langer over om daar achter te komen dan bij de andere zeven keren bij elkaar.

Als je het wilt weten, we deden ongeveer een halfuur over de wildcard. Eerder die dag was Gracie na het voeren van de vissen namelijk vergeten het dekseltje terug te doen op het potje met visvoer. Vraag me niet hoe we daar uiteindelijk uitgekomen zijn. Na ongeveer een halfuur raden, gingen we naar beneden, deden het dekseltje op het potje en namen het mee naar boven als bewijs. Ze glimlachte en ging prompt weer slapen. Wij deden er een uur over om weer in slaap te komen.

De logopedist begreep niet waarom ik haar vroeg een foto te maken van het potje met visvoer met het deksel eraf, maar Elena wel. We hebben die foto bij het deel 'Nacht' gestopt. Ergens denk ik dat we binnenkort ook een deel 'wildcard' zullen hebben.

DAG
KEITH **212** BROOKE

28 juni

Zeven maanden is te kort. Toch hadden we niet gedacht dat ze dit zou halen. Nadat we te horen hadden gekregen dat ze nog maar 135 dagen te leven had en daarna dat we van zeven maanden moesten uitgaan, hebben we nu een reden om feest te vieren. Toch blijft zeven maanden te kort.

Ik vermoed dat Elena zich nu op onbekend terrein begeeft. Tijdens dit schrijven hoor ik dat een ander kind zijn leven is verloren aan deze vreselijke ziekte. De kanker slaat weer toe. En ook al ben ik blij voor Elena, toch weet ik dat wanneer zij het gemiddelde verslaat, een ander kind daar het slachtoffer van is. Zo is de wet van de gemiddelden. Vanavond omhels ik Elena een beetje langer met een zweem van vreugde in mijn hart, wetend dat de strijd nog voor ons ligt, vol onzekerheid en zonder genade.

Vandaag, toen Elena haar chemotherapie onderging en ik het uitstekend gekwalificeerde en compassievolle team van artsen sprak, stelde ik vragen die ik mezelf nooit wilde horen vragen. Mocht ze overlijden, hoe zou het dan zijn? Zou het vredig zijn? Of zou het zijn zoals ik vreesde, op de manier die je voor je geestesoog ziet wanneer je de verslagen van andere ouders leest over de laatste momenten van hun kind? Ze zeggen natuurlijk nooit hoe, maar als ouder die hetzelfde te wachten staat, kun je tussen de regels door lezen. Schrijven ze: 'Het was een lange avond,' dan weet je dat dat niet alleen door slapeloosheid kwam. Schrijven ze dat hun kind hoofdpijn had, dan weet je dat daar zoveel meer achter steekt. Die code heb je nooit willen leren.

Helaas had ik hun antwoord zien aankomen. Ze zeiden te rekenen op ademhalingsproblemen. Ze zeiden dat het ook door een gebrek aan voeding of vocht kon gebeuren. Ze zeiden dat het een inwendige bloeding kon zijn. Ze zeiden dat het een beroerte kon zijn. Ik wilde die antwoorden niet, maar ik moest het weten. Mijn ergste angsten zouden veel erger zijn dan de realiteit.

DAG
KEITH **215** BROOKE
1 juli

Ik zou al tevreden zijn met een schommelstoel op de veranda. Brooke wil een nieuwe keuken. Gracie wil een oprit om op te fietsen. Elena wil dat het gewoon voorbij is. Iedereen wil airconditioning. Het schiet maar niet op met die zo ongelegen komende verbouwing van ons huis, deels vanwege mijn afwezigheid en zeker vanwege geldgebrek. Tijdens het graafwerk en het storten van de fundering hebben we nooit rekening gehouden met kanker. Maar nu is het te laat om op te houden. Dus herzien we het budget, doen meer zelf en sluiten compromissen in een strijd tegen de tijd.

Het is niet onze eerste verbouwing. De laatste keer was vier jaar geleden toen Elena twee was en Gracie nog opgerold in mama's armen lag. Het plan was toen een verbouwing van de keuken en ik was het nog maar aan het leren. Mij een ongeschoolde arbeider noemen zou nog een compliment zijn geweest. Maar voor Elena maakte het niets uit. Ze stond naast me om me een koekje aan te bieden als ik moe was, een aai over mijn bol als ik mijn duim geraakt had met de hamer en een compliment voor het voltooide werk hoe erg het ook was. De tegels zaten scheef, er kwamen vonken uit de stopcontacten en de afwerking was niet helemaal waterdicht, maar voor Elena was het een kunstwerk. Ze ging elke dag op de onderste tree van het keukentrapje zitten en zei: 'Oooo, papa, dat is mooi,' met haar handjes in elkaar verstrengeld en tegen haar borst gedrukt. Soms vroeg ik het haar steeds weer opnieuw, gewoon omdat het goed was voor mijn ego. Even later kwam Brooke dan lachend voorbij. 'Een beetje grof, niet?' vroeg ze dan, of: 'Is het de bedoeling dat het zo lekt?' Maar voor Elena was het perfect.

Toen ik vanavond kasten maakte voor de nieuwe woonkamer wilde ik niets liever dan haar complimentjes horen. Niet dat ik ze nodig heb – mijn afwerking is beter, ik kan eindelijk een stopcontact aanleggen en ik heb begrepen dat ik het loodgieterswerk aan anderen moet overlaten – maar haar woorden zouden me vertellen dat alles in orde is. In de hoek staat het keukentrapje waarop ze koekjes zat te eten terwijl ik werkte. Na elke spijker kijk ik even achterom in de verwachting haar te zien. Maar ik weet dat ze bij Brooke is in de kamer hiernaast, aan een slangetje waarmee ze intraveneus vloeistoffen krijgt toegediend. Zo wil ik mijn kleine meid niet zien, zo had ik me ons leven nooit voorgesteld. Ik leg de hamer neer. Zonder Elena is er niets aan.

Morgen beloof ik de schommel op de veranda te maken. Sinds de eerste blauwdruk en voor we het woord 'kanker' ooit hadden gehoord, heb ik Elena verteld dat ik een schommel voor haar zou maken op de veranda zodat we samen buiten zouden kunnen praten terwijl de zon onderging. Het lijkt vandaag zo'n vage herinnering terwijl de zon ondergaat voor mijn dochter. De veranda is nog niet meer dan een structuur, het beton is nauwelijks uitgehard en de dakspanen staan nog op de oprit. Toch zal ik morgenavond die schommel hebben gemaakt, zodat ik daar weer met haar kan zitten. Misschien nemen we er een paar koekjes bij.

DAG
KEITH **216** BROOKE
2 juli

Eigenlijk heb ik nooit geloofd dat ze beter zou worden. Nadat we het van alle artsen hadden gehoord en talloze websites hadden bezocht, heb ik niet één keer gedacht dat ze het zou halen. En ook al heb ik berichten geplaatst vol hoop en positieve gedachten, ik heb er nooit echt in geloofd dat dat bij ons zou gebeuren. Misschien omdat ik vanaf het begin nooit hoop heb gekregen of misschien omdat ik mezelf probeerde te beschermen tegen teleurstellingen. De gedachte aan een genezing is nooit echt bij me opgekomen, tot vanavond.

Ik had me voorgenomen de laatste momenten op te zuigen. Na de nieuwe chemotherapie en de daaropvolgende komst van zuurstoftanks en infuusstandaards besloten we dat dit Elena's laatste behandeling moest zijn. Maar zoals bij alles aan deze ziekte lijken we het bij het verkeerde eind te hebben. De dag begon zoals gewoonlijk, voor zover het leven in dit huis gewoon kan zijn. We maakten Elena om zeven uur 's ochtends wakker en kleedden haar samen aan en kamden haar haar, waarbij we vier keer het dode haar uit de borstel moesten halen voordat we door konden. Daarna gingen we naar beneden om te proberen haar te voeden. Omdat ze haar mond niet verder dan een halve centimeter kan opendoen, is ze weer veroordeeld tot een maaltijd van yoghurt en melk. Het verbazingwekkende gebeurde echter nadat wij naar ons werk waren vertrokken, toen Kelli, mijn nicht die ergotherapie studeert, en oma het van ons hadden overgenomen. Elena begon te herstellen.

Ze zouden een uitstapje maken naar een boomhut in de buurt, voor kinderen van alle leeftijden met een beperking. Behalve een reden om de deur uit te gaan leek het ons een goede gelegenheid voor Elena om eens naar iets anders dan alleen het plafond te kunnen kijken wanneer ze haar lunch kreeg. Dus daar gingen Gracie, Elena, Brooke's moeder en Kelli, gewapend met een lunchmand. Daar, zo werd me later verteld, at Elena veel meer dan haar gebruikelijke kostje van yoghurt en melk. Ze at een koekje, wat chips, een paar bosbessen en wat ham en kaas. En hoewel dat drie maanden geleden normaal zou zijn geweest, was het vandaag een topprestatie. Kleine stapjes, maar beslist in de goede richting.

Tegen de tijd dat ik uit mijn werk kwam, was Elena niet alleen klaar voor het avondeten maar begon ze voor het eerst in meer dan een maand met woorden te communiceren in plaats van gebarentaal. Het beste van alles was dat het helemaal haar eigen beslissing was. En hoewel ze alleen maar zei: 'Ik wil dat mama me morgenochtend helpt,' 'Ik probeer mijn hoofd op te tillen' en 'Ik wil niet in bad,' wisten Brooke en ik dat we vooruitgang hadden geboekt. Ze richtte zich op, nam de controle en was eindelijk in staat om woorden te vormen met haar voorheen verlamde stembanden. Het waren zelfs zinnen, niet slechts woorden.

Ik zag Elena vooruitgaan en dat kwam niet alleen door de chemo. Het kwam door haar wilskracht en hopelijk door de behandeling. Vanavond vraag ik me voor de allereerste keer af hoe een genezing zou verlopen. Zal ze elke dag iets winnen in plaats van iets kwijt te raken? Krijgt ze alles terug of slechts een deel? Hoe lang duurt het herstel? Het is in elk geval fijn om eens naar bed te gaan en te bidden voor iets positiefs in plaats van te vloeken op de omstandigheden. Ook al wil ik niet te ver gaan, ik wil me alleen maar even afvragen hoe het zou zijn om haar terug te hebben zoals ze ooit was.

Ik heb me altijd het kind gevoeld. Bij Elena althans. Ik ben inderdaad veel ouder dan zij, maar de afgelopen zes jaar is zij de volwassene geweest, met een wijsheid die de generaties overstijgt, en een uniek evenwicht tussen emoties en gezond verstand. Zelfs toen ze nog een baby was, had ik het gevoel dat ze me beoordeelde en coachte om een betere vader te zijn. Laat me je vertellen dat ze een uitmuntende coach is.

Vanaf het begin leerde ze me 'Het spijt me' zeggen (vooral tegen mama; soms vraag ik me af of mama daar de hand in heeft gehad) en wat meer tijd door te brengen met het gezin. Werk en karweitjes kunnen wachten; het gezin komt op de eerste plaats. En ook vandaag, nu ze worstelt om te eten en zich niet kan voorstellen dat ze voor de derde keer in haar leven haar eerste stapjes gaat zetten, neemt ze nog even de tijd om papa op te voeden. Nu vestigt ze haar aandacht op een slechte gewoonte: het laten knakken van mijn vingerknokkels.

Toen ik vanmorgen met haar in mijn armen op de bank lag en mijn vingers liet knakken, keek ze kreunend op en legde haar rechterhand op mijn vinger. Ze schudde haar hoofd en gebaarde naar haar eigen vingers, en ik wist wat ze bedoelde. Ik zei tegen haar dat ik het zou proberen. Het is een tic, maar ik zal het proberen. En dat deed ik, wel vijf minuten, tot ze in slaap viel en ik zonder het te weten mijn tenen in mijn schoenen liet knakken. Wist ik veel dat het een test was; ze opende haar ogen en gebaarde nu naar mijn schoenen. 'Nee,' kreunde ze, haar hand opstekend om het gebaar te maken voor 'stop'. 'Oké,' zei ik tegen haar.

Zelfs vandaag, hoewel ze worstelt om te eten en te praten, neemt ze de tijd om anderen op te voeden. De eeuwige juf, moeder en engel, Elena maakt zich bezorgder om mijn vingers dan om haar eigen toestand.

DAG
221
KEITH BROOKE
7 juli

Vandaag heb ik er met Elena aan gewerkt om haar te laten staan om wat oefeningen te doen. Ze reageerde door te hijgen, puffen en pruilen. Toen ik haar vroeg of ze pijn had, zei ze nee. Ik vroeg of ze bang was om te vallen en ze zei nee. Ik vroeg haar waar ze dan zo'n drukte over maakte en weer haalde ze haar schouders op. Ze kon vijf minuten zonder mijn hulp staan, maar ze wilde het gewoon niet proberen. Voor het eerst krijg ik geen contact met mijn dochter. Ik kan haar stemmingen en gevoelens niet ontcijferen. Ik voel me zo hulpeloos; ik zou er alles voor over hebben om haar gelukkig te maken, maar weet niet hoe.

Vanavond vond Gracie de chocoladerepen die mijn moeder had meegebracht. Voor Elena leek het wel goud. Ik heb haar lange tijd niet zo zien glimlachen. Bij elke hap grijnsde ze van oor tot oor. Aan het eind van de dag besloten we voortaan drie keer per dag chocoladetherapie te doen en een chocoladeprotocol te laten onderzoeken in het wereldberoemde Hershey's Hospital. Zouden ze chocolade ook intraveneus willen toedienen?

Therapie is onderhandelen. Nou geldt dat voor zo ongeveer alles bij Elena. Als het haar zo uitkomt, vertalen haar vastberadenheid en volharding zich gemakkelijk in koppigheid. Maar als ik moest doormaken wat zij doormaakt, zou ik daar ook last van hebben. Een deel van de problemen die ze heeft, is dat ze weer helemaal opnieuw moet beginnen. Dit is haar derde poging tot herstel en even snel als ze een paar van haar functies terugkrijgt, verliest ze ze weer, en meer. Eerst verloor ze haar stem en rechterhand. Ze herstelde met therapie, maar ze verloor haar stem en rechterhand nog een keer, plus haar vermogen om te lopen. Ze vocht terug en kreeg haar stem en haar rechterhand gedeeltelijk terug. Binnen een paar maanden wist ze met een rollator haar weg door de gangen van school te vinden. Maar nu is ze haar stem, rechterarm, rechterbeen, het zicht in haar linkeroog en haar vermogen om te slikken en mond te openen kwijt. Deze keer is ze denk ik moe van het vechten.

Maar we blijven pushen, en zij blijft zich verzetten, door ons leeg aan te kijken, op de grond te vallen of te klagen over hoofdpijn.

En daar verschijnt Kelli ten tonele, mijn nicht die ergothrapie studeert. Toen ze van Elena's strijd hoorde, bood ze heel dapper aan ons deze zomer te komen helpen, om Brooke en mij te ontlasten en een paar bewezen ergothrapeutische technieken uit te proberen in plaats van onze vruchteloze pogingen om met haar te kaarten of te kleien. Vandaag was Kelli voor het eerst gefrustreerd door Elena's onverschilligheid jegens haar inspanningen. Ze had er avonden en weekenden over gedaan om creatieve activiteiten en werkjes voor te bereiden, maar zodra Elena doorheeft dat het een vorm van therapie is, weigert ze nog om mee te doen. Het lijkt wel een schaakspel, alleen heeft Elena je al door voor je de eerste zet hebt gedaan.

Zo is ze altijd geweest. Op weg van school naar huis vroeg ze als vierjarige al of ik geld had. Ik antwoordde: 'Een beetje,' en vroeg waarom ze dat wilde weten. Ze negeerde mijn vraag en merkte op hoe heet het die

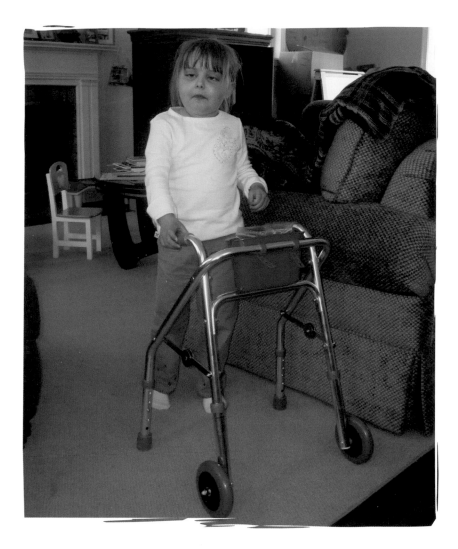

dag was. 'Kun je het raam opendoen, pap?' vroeg ze dan. 'Ik heb het een beetje warm.' Ik draaide het raam open, terwijl ik best wist dat ze iets anders wilde. De vraag zou spoedig gesteld worden, dicht bij huis en de ijssalon. 'Pap, we moeten stoppen en ijs halen om af te koelen.' Daar was hij. Ieder ander kind zou gewoon om ijs vragen, maar Elena bereidde haar zaak zorgvuldig voor, vanaf het moment dat ze haar gordel vastmaakte, zodat alle mogelijke tegenwerpingen bij voorbaat ongeldig werden. Had papa genoeg geld? Was papa het ermee eens dat het warm was? Was ijs niet de perfecte oplossing? Hoe kon ik nee zeggen? Ze bespeelde me.

Ik denk dat Kelli haar twijfels had toen ze me vanmiddag met Elena bezig zag. Onderhandelen maakt geen deel uit van de vakken op haar therapie-opleiding. Ik zette Elena onder druk, Elena protesteerde door te kreunen en te schreeuwen, maar uiteindelijk deed ze meer dan ze zelf voor mogelijk had gehouden: ze pakte twee pennen op en wreef haar bewegingloze handen over elkaar heen. Het zijn kleine stapjes, maar ze maken deel uit van een groter pad naar verbetering. Uiteindelijk zal Kelli het beter en slimmer doen dan ik en zal ze de komende weken meer bereiken dan ik in de afgelopen maanden. Ze zal haar creativiteit gebruiken en weten dat het oké is om Elena soms te dwingen om meer te doen. Alternatieven, beloningen en creativiteit. Alle tekenen van verbetering. Misschien is ijs wel een van die beloningen.

DAG
KEITH **228** BROOKE
14 juli

Je hoort de hoop niet op te geven. Alsof die haar juist in leven houdt. En op een dag raak je de hoop kwijt. Je raakt haar kwijt.

Vandaag was er weinig hoop. Ik glimlachte als er naar me gekeken werd; het soort glimlach met opeengeklemde tanden erachter. De realiteit drong zich op. Ze gaat het niet halen. Daar, ik heb het gezegd. Maar nooit tegen iemand anders en nooit tegen dit dagboek. Iedereen zegt dat je vertrouwen moet hebben en moet blijven zoeken naar een remedie. Ik kan alleen maar boos zijn. En ik denk niet dat ik de enige ben. Als ik in Brooke's prullenbak kijk, zie ik daar evenveel tissues als in de mijne. Ze probeert ze te verstoppen onder papieren, maar die truc ken ik al. Ik gebruik hem ook.

Tijdens het ontbijt proberen we niet te staren naar haar dichtgeknepen hand of de tanden die maar nauwelijks van elkaar gaan voor het allerkleinste hapje eten. Toch blijven we hopen. We zeggen tegen haar dat het vandaag veel beter gaat dan gisteren. We zeggen tegen haar dat ze haar hand gewoon moet laten werken. We zeggen tegen haar dat het een kwestie van tijd is. En zelfs zij weet dat we liegen. Ze is maar zes jaar oud en veel te slim. Kanker maakt je ouder en na de strijd die zij heeft moeten doormaken, heeft Elena het perspectief van iemand van zestig. Zij heeft de hoop ook opgegeven. Je ziet dat ze met haar blik mijlenver is. Ze denkt niet aan het ontbijt of aan school. Ze weet te veel. En eigenlijk denk ik dat ze dat voor zichzelf houdt voor het geval wij er nog niet achter zijn.

Het ontbijt verloopt stilletjes. Elke dag proberen we tevergeefs een lichtpuntje te vinden. En elke dag is het erger. Dus slaan we er geen acht op. We praten er niet over, we geven het niet toe en ik zal het nooit opschrijven. Je geeft de hoop gewoon niet op. Je liegt.

DAG
KEITH **229** BROOKE
15 juli

Ik ben een zakdoek geworden en het kan me niks schelen. Ik heb zes overhemden in mijn kast – vijf met een zwarte kraag, een met een blauwe – en twee T-shirts. Op elk daarvan zit snot op de rechterschouder. Nu Elena niet meer kan lopen, moeten we haar naar de keukentafel, naar de badkamer en naar bed dragen. Vanwege Brooke's slechte knie ben ik de aangewezen drager van het huis. Ik til Elena van haar bed, leg haar hoofd tegen mijn rechterschouder en begin de trap af te lopen. Maar voor ik beneden ben, snuit ze haar neus tegen mijn shirt. Wat weken geleden is begonnen als hoest, is nu Elena's grapje geworden.

De volgende keer dat je me tegenkomt, moet je maar eens naar mijn rechterschouder kijken. Meestal krijg ik wel een paar opmerkingen over het witte spul op mijn schouder, vragen of het soms verf is. Nee. Kalk dan? Ook niet. En voordat je het vraagt, al mijn overhemden zien er zo uit. Elena gebruikt me niet alleen als zakdoek, ze gebruikt me ook als servet. Vandaag zit er aardbeienyoghurt op mijn rechterkraag. Hoe vaak ik mijn overhemd ook was, er zal altijd een roze vlek op de kraag blijven. Ik heb het al geprobeerd en zal het vanavond weer proberen.

Op een manier is het mijn badge, mijn eremedaille voor papa's. Het is ook Elena's grapje. Vandaag, op weg naar de keukentafel, spuugde ze haar yoghurt uit en snoot ze twee keer haar neus. Terwijl ik haar op haar stoel zette, verried ze haar geheim door te glimlachen. Het ging niet per ongeluk en ze genoot er intens van. Het was haar manier om papa alle therapieën en al het geplaag betaald te zetten. Na haar wangen met melk, yoghurt en appelsaus te hebben gevuld, vroeg ze of ze naar de wc mocht, grijnzend. Ik wist dat dit een deel van haar plan was. Toen ik vanavond naar mijn overhemd keek, wist ik dat mijn voorgevoel juist was geweest. Neem het me de volgende keer dat je me ziet alsjeblieft niet kwalijk van die schouder. Het gaat er niet uit, en ik kan geen nieuwe overhemden blijven kopen. Het is Elena's grapje.

DAG

230

KEITH BROOKE

16 juli

Vanavond sprak mijn vrouw de woorden uit die ik niet wilde horen: 'Zolang ze er nog is, moeten we in elk geval proberen haar gelukkig te maken.' Natuurlijk is Elena de afgelopen weken niet op haar best geweest. Haar toestand is verslechterd doordat de tumor met zijn volle gewicht op de zenuwen drukt die haar hoofd en gezicht controleren. De ironie is dat de handen die er ooit opgekruld en bewegingloos bij lagen, hun functie deels terug hebben en ze voor het eerst genoeg kracht in haar knie heeft om zonder hulp te blijven staan terwijl wij haar aankleden. Maar het is haar hoofd waar we ons de meeste zorgen om maken. Praten, zelfs kreunen, is onmogelijk. Eten en slikken zijn in het beste geval tijdrovend, want we halen allerlei toeren uit om haar met druppelaars te voeden en zoveel mogelijk yoghurt als we maar op onze vingertoppen tussen haar tanden door kunnen drukken. Er zit geen beweging in, haar lippen en tong zitten ons bij het voeden alleen maar in de weg. Haar ogen, die ooit een eenvoudig ja of nee konden overbrengen, kunnen niet meer van de ene naar de andere kant bewegen en zijn strak vooruit gericht, waardoor ze voortdurend dubbel kijkt. Het ergst van alles is dat ze sinds gisteren niet meer in staat is om haar eigen hoofd te ondersteunen en nu is overgeleverd aan de genade van haar onstabiele schouders. Hier hadden we niet op gerekend.

Er is geen enkele troost opgewassen tegen Elena's verdriet. Geen uitstapje naar Disney World of ritje naar boven in de lift van de Eiffeltoren. Ze weet wat wij weten.

Dat Brooke bezorgd was over Elena's welzijn was normaal. Dat ze toegaf dat Elena het niet gaat overleven, was niet normaal. We hebben maanden gevochten om hoop te houden. En hoewel we ieder in stilte twijfelden aan haar kansen durfden we het daar nooit met elkaar over te hebben. Maar nu de realiteit onze hoop steeds verder de grond in boort, kunnen we het niet langer negeren. Ze heeft gelijk. Ik zal blijven vechten zonder ooit op te geven, maar we moeten wel nadenken over Elena's gerief en haar behandeling. Vandaag kunnen we naar deze beide doelen toe werken. Op een dag, misschien morgen, zullen we moeten kiezen. Helaas komt 'op een dag' misschien wel al heel snel.

DAG

KEITH 232 BROOKE

18 juli

Ik heb het gevoel dat ik een week heb geleefd in slechts vierentwintig uur. De dag begon om 03.50 uur toen de infuusvloeistof op was. Ik wilde wel dat ze 100 mg extra in de infuuszak deden zodat ik op een fatsoenlijk tijdstip kon opstaan. Jammer genoeg gaat vijfentwintig minuten nadat je weer in slaap bent gesukkeld na het toedienen van de eerste medicijnen de wekker af omdat je er weer andere medicijnen in moet doen. Een uur later is het tijd om de dag te beginnen. Deze ochtend was mama aan de beurt om thuis te blijven en er kwam geen eind aan de telefoontjes en de bezoeken.

Maar toen kwam het telefoontje dat onze dag opvrolijkte. We hadden een aanvraag ingediend voor een gezelschapshond voor Elena om haar in huis te helpen. De hond kan ons waarschuwen als Elena iets nodig heeft, want omdat haar stem zo zwak is horen we haar niet zodra we de kamer uit zijn. We koesterden niet de illusie dat we gekozen zouden worden uit de duizenden mensen die de hulp van deze zeer getrainde honden kunnen gebruiken. Maar deze geweldige mensen hadden ingezien hoe dringend onze behoefte was en toevallig kwam er precies de juiste soort hond beschikbaar toen ze onze aanvraag ontvingen. We kregen het telefoontje van de organisatie dat ze een hond voor ons hadden en op 1 augustus een training zouden krijgen. Toen ik Elena het nieuws vertelde, zag ik de eerste schittering in haar ogen sinds tijden. We spraken af dat we een speeltje voor de hond gingen kopen en ik legde uit dat de hond kwam om haar te helpen. Elena glimlachte. Ik vertelde haar dat zij verantwoordelijk was voor de zorg voor de hond, dat ze hem moest borstelen en blij moest maken. Ze klaagde door haar hand op te tillen, maar toen ik haar zei dat ik haar daarbij zou helpen, begonnen haar ogen weer te schitteren.

DAG

240

KEITH BROOKE

26 juli

De afgelopen negen maanden zijn één grote oefening geweest in wachten. We begonnen in november toen we ongeduldig wachtten op de bulldozers die zouden beginnen met de verbouwing van het huis. In december wachtten we nerveus op de resultaten van de bestraling. In januari wachtten we gretig tot we weer naar school mochten. In februari wachtten we eindeloos tot we naar Disney World zouden gaan. In maart wachtten we opgewonden op het zwemmen met de dolfijnen. In mei wachtten we blij tot we Elena's mooie schilderij in het kunstmuseum zouden zien hangen. In juni wachtten we voortdurend om naar het meer in Tennessee te gaan. In juli lijken we op alles en niets tegelijk te wachten.

De meisjes wachten op de bezoekjes van hun favoriete vrienden en familie. Mama en papa wachten op rust. Elena en Gracie wachten op hun nieuwe hond, die Elena hopelijk enig houvast zal bieden in haar afbrokkelende wereld. Papa en mama kunnen niet wachten op de glimlachen die dit nieuwe gezinslid teweeg zal brengen. Gracie wacht steeds op een vrij moment om te gaan zwemmen. Elena wacht altijd op vrije momenten om te knuffelen met papa of mama. We wachten af of behandelingen effect sorteren. We hebben geen grote gebeurtenissen of wensvervullingen meer in het verschiet. Nu wachten we op de kleine dingen: de keren dat ze op een goede dag glimlacht, de gekke dingen die Gracie uithaalt om ons aan het lachen te krijgen, de kleine stappen die we zetten bij de voltooiing van ons huis, en de kleine verbeteringen die we bij Elena zien of het uitblijven van een achteruitgang van haar toestand (bij een progressie wordt het achterwege blijven van een achteruitgang beschouwd als een vooruitgang).

Het leven lijkt gewoon niet meer te gebeuren. We hebben geen vat op ons leven maar worden gedicteerd door wat de tumor ons dagelijks besluit te geven of te ontnemen. Ik heb het gevoel dat ik naar het leven in slow motion zit te kijken, dat ik zit te wachten tot het bij me komt. En opeens ben ik me scherp bewust van elk aspect van het leven dat mijn dag beïnvloedt. Het is bijna alsof ik voortdurend in een hypersensitieve staat verkeer. Mensen zeggen dat ze de adrenaline voelen rondpompen in een crisissituatie. Wat gebeurt er dan als je voortdurend in een crisissituatie bent?

Vanavond riep Elena me bij haar bed om te vertellen dat haar linkerarm pijn deed. De meeste ouders zouden haar een aspirine geven en zeggen dat ze weer moest gaan slapen. Ik kan me echter niet alleen op die arm concentreren. Ik denk aan de bloedtransfusies en de bladzijden vol met voorzorgsmaatregelen die ze ons hebben meegegeven, ik denk aan de beugel en wat ik kan doen en maak me zorgen over wat het kan betekenen. Uiteindelijk haal ik Keith erbij, omdat ik in paniek ben. Uiteindelijk bleek een 'medicinaal' koud washandje op de arm de pijn wel te verzachten.

Ik kan niet wachten tot een pijnlijke arm me niets meer doet. Dat ik 's ochtends wakker word en niet hoef te denken aan een hele dag vol medicijnen en voedingen. Vandaag vertoonde Elena niet de achteruitgang die ze normaal na de chemo heeft. Ze at zoals ze de dag voor de behandeling had gedaan en was het grootste deel van de dag wakker, bedelend om geknuffeld te worden. Dit was de dag waarop we hadden gewacht. Misschien blijft deze onbeheersbare situatie enigszins beheersbaar doordat we steeds wachten op de kleine dingen.

DAG
241
KEITH BROOKE
27 juli

Ze hadden het allemaal bij het verkeerde eind. Mama dacht dat Elena met haar wilde slapen, en niet met papa. Oma dacht dat Elena van streek was omdat ik haar had gedwongen te ontbijten en te lunchen. Opa vermoedde dat ze tv wilde kijken. Elena was duidelijk geïrriteerd en werd met de seconde gefrustreerder. Binnen enkele minuten ging ze van apathisch naar verdrietig, en dat begon toen ik uit mijn werk kwam. Omdat ze mijn reputatie bij Elena kenden, dacht iedereen meteen dat ze mij op de een of andere manier niet wilde. Zoals ik al zei, ze hadden het allemaal bij het verkeerde eind.

Elena heeft haar haat voor mij als drilsergeant therapie en maaltijddictator nooit onder stoelen of banken gestoken. En sinds de laatste dagen in het ziekenhuis, begin januari, is het steeds mama geweest die alle liefde heeft gekregen. Ik was goed voor het voeden en werd geduld tijdens voetmassages, maar mama was de knuffelaar en het slaapmaatje. Dus werd ik de afgelopen maanden verbannen naar de bank, de vloer of Gracies tweede bed, mijn kans afwachtend terwijl mama een glansrol vervulde. Niet dat ik het erg vond; woede is ook een vorm van therapie. Als ze me stompte (waarin ik haar aanmoedigde), werd haar rechterarm sterker. Als ze boos was, was ze in ieder geval actief en betrokken. Maar diep vanbinnen miste ik Elena. Ze was de afgelopen zes jaar altijd papa's meisje geweest en nu was ik dat ook kwijt.

Toen ze vanmiddag begon te huilen, vermoedde ik dat ik weer de reden was. Zelf dacht ik dat ze wilde dat ik wegging. Maar nu was het anders. Ik vroeg of ze wilde dat ik wegging. Haar ogen zeiden nee. Ik vroeg of ze wilde dat ik bleef. Ze zei ja. Ik vroeg het weer, omdat ik zeker dacht te weten dat ze me niet had begrepen. En weer zei ze ja. Ik vroeg of ze wilde dat ik haar vasthield. Ze zei ja. Ik vroeg of ze pijn had en hulp nodig had. Weer ja. Nu kwamen we ergens. En na nog eens vijf vragen hadden we het antwoord. Elena wilde therapie. Elena wilde papa. Denkend dat Elena zich vergiste, vroeg mama het nogmaals. Het antwoord was nog steeds ja. Papa's meisje was weer terug, althans voor vanavond.

Uiteindelijk bleek haar rug pijn te doen en ze wendde zich tot papa voor hulp. En na een paar strekoefeningen voelde de rug al beter en waren de tranen opgedroogd. Ik was een held, al was het maar voor even. Morgen proberen we denk ik een nieuwe therapie: knuffelen met papa.

DAG
KEITH 245 BROOKE
31 juli

Ik ben altijd bang geweest dat Elena een gezicht van de kanker zou worden, dat haar ziekte haar identiteit en misschien zelfs haar nalatenschap zou worden. Gebeurtenissen, eerbetuigingen en herdenkingen zouden al snel herinneringen worden. Maar naarmate we langer tegen de kanker vechten en meer mensen ontmoeten, realiseren we ons dat we niet alleen zijn. Een ziekte is geen identiteit maar een obstakel. In de tijd dat we onze strijd strijden, ontmoeten we ook mensen die ons de helpende hand toesteken met hun eigen strijd. Ze hebben kinderen met hersenverlamming, kinderen die zijn omgekomen bij een ongeluk of zelfs met kanker. En ondanks de pijn en de worsteling nemen ze de tijd om ons een hart onder de riem te steken. Dat zegt misschien nog wel het meest. Op een bepaalde manier is deze houding de ware identiteit van de ziekte, dat je troost put uit het troosten van anderen.

Dit weekend, toen ik met Elena naar het zwembad was, zag ik het met eigen ogen. Ik zag haar vriendinnetjes om haar rolstoel heen draaien en tegen haar praten als een vriendje, niet als een patiënt. En terwijl ze vroegen naar haar nieuwe rolstoel, haar haar en waarom ze niet kon praten, richtten ze zich tot Elena, niet tot mij. Deze kinderen, die we leren hoe ze moeten omgaan met gehandicapte mensen, die we zeggen dat ze niet mogen staren, leren ons wat echte zorgzaamheid is. Want wegkijken betekent ook onverschilligheid laten zien. Zij deden geen van beide; ze stelden vragen en waren zorgzaam. En Elena reageerde. Ze zagen haar als vriendin en niet als ziekte.

Als ik vanavond naar de bank kijk, ben ik bang dat Elena's identiteit aan het verdwijnen is. Haar linkerhand en -voet zijn nu ook gedeeltelijk verlamd en ze kwijlt uit haar rechter mondhoek. Eten en drinken worden steeds moeilijker en elk uur vrezen we meer en meer dat deze symptomen niet zozeer de bijwerkingen zijn van de medicijnen, maar een andere progressie betekenen. En dus zoeken we op internet naar de volgende stap, maar er valt niets meer te proberen. Ik smeek dat ze morgen haar oude zelf weer is, en ik vervloek mezelf dat ik weer overdreven reageer. Ik houd van die dagen. Wat leer ik van de kinderen? Houd van Elena om wie ze is. Laat die lessen en de nalatenschap morgen maar komen.

DAG

247

KEITH BROOKE

2 augustus

De afgelopen negen maanden is ze een speldenkussen geweest. Er is in haar gepord, geprikt en gestoken. Eerst voor onderzoeken, daarna voor behandelingen en nu om te weten hoe haar toestand is. Elke keer huilde ze een beetje minder en vocht ze een beetje minder terug. Toen we vanavond zwichtten en ze een voedingssonde inbrachten, verwelkomde ze die verandering. Geen tranen, geen strijd.

Wat gisteren begon als een opening van een halve centimeter tussen haar tanden, was vanmorgen veel erger want toen ze wakker werd, zaten haar kaken potdicht. Twee weken geleden was mama al klaar voor de voedingssonde; ik was de stijfkop. Ik dacht dat Elena zou stoppen met vechten en het zou opgeven zodra ze er een had. Maar vanavond realiseerde ik me dat ik deze strijd onmogelijk kon winnen en dat mijn verzet ten koste zou gaan van de tijd die we zo graag wilden koesteren. Het interessantst was echter Elena's reactie. In plaats van weerstand te bieden, zag ze de installatie van een voedingssonde zoals die was: een manier om haar leven gemakkelijker te maken. Zonder aarzeling of angst zei ze 'ja' met haar ogen en hief haar hoofd op voor het inbrengen. En daarna keek ze zonder een traan te laten of ineen te krimpen toe terwijl er een vijfendertig centimeter lange slang door haar neus in haar maag werd gebracht.

Vannacht realiseerde ik me dat de sonde onze dagen er beter op zal maken. Waar we acht uur per dag bezig waren met het naar binnen krijgen van voedsel, kunnen we nu zes uur knuffelen. Toch kan ik niet ontkennen dat ik me verslagen voel en eraan twijfel of het haar vechtlust goed zal doen. Uiteindelijk merk ik dat ik weer ben overgeleverd aan de genade van consequenties die ik niet kan sturen, maar ik moet erop vertrouwen dat ze ons de goede kant op zullen leiden. Voor een man die gelooft in de kracht van het individu is het niet gemakkelijk om tot dit besef te komen. Ergens heb ik nog hoop dat Elena sterker zal zijn dan de kanker en slimmer dan de omstandigheden. Als dat zo is, dan is vandaag niet meer dan een pauze op de weg naar een langer en gemakkelijker leven.

248
3 augustus

Terwijl ik door de foto's van Elena blader, word ik eraan herinnerd dat elk bezoekje aan het huis van mijn moeder een knipbeurt inhield. Helaas viel geen van de kapsels die oma knipte, ooit goed uit. Scheve pony's, ongelijke zijkanten; soms vroeg ik me af wat mijn moeder bezielde. Bij elk bezoekje werd haar haar korter tot ze bijna geen pony meer had, alleen een paar scheef geknipte plukjes. Elena vond het nooit echt erg.

Zeven maanden later is haar achteruitgang begonnen en is ze onder invloed van de chemotherapie zelfs haar rode highlights kwijtgeraakt. Voor een meisje dat dol is op haar haar, was het niet gemakkelijk. Door haar haar voelde ze zich knap en gezond. Zelfs na oma's knipbeurten groeide het weer aan voor de volgende dag die ze samen zouden doorbrengen. Brooke en ik krompen altijd ineen; oma en Elena lachten. Een dag in Salon Oma.

249
4 augustus

Langzaam lopen. Bloemblaadjes strooien. Niet op je jurk trappen. Niet bewegen en stil zijn. Het zijn de essentialia van de bloemenmeisjesetiquette en Gracie kende ze goed. 'Ik weet het, ik weet het. Langzaam lopen. Bloemblaadjes strooien. Niet op mijn jurk trappen. Niet bewegen en stil zijn,' zei ze op weg naar de bruiloft, tijdens de wandeling naar de kerk en toen ze in de rij stond om het heiligdom binnen te treden. Wie haar die dingen had verteld wisten we niet, maar ons advies was duidelijk niet nodig; iemand was ons voor geweest.

Vandaag was de bruiloft van Kelli en John. (Eigenlijk is het natuurlijk altijd de bruiloft van de bruid. De bruidegom mag alleen mee om te rijden.) Kelli was Elena's thuisverzorgster geweest, en haar bruiloft was iets waar

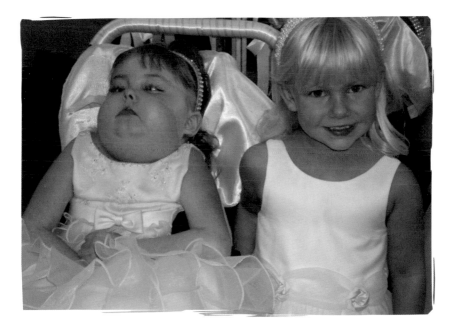

Elena de afgelopen drie maanden naar uit had gekeken. Persoonlijk denk ik dat Elena altijd de favoriet is geweest voor de vacature van het bloemenmeisje. Om het ons gemakkelijk te maken mocht Gracie gelukkig ook meedoen. Het weerhield haar er ook niet van om de show te stelen.

Het was de eerste kans die Elena en Gracie hadden op de status van bloemenmeisje. Ergens in het spectrum van kleine-meisjeswensen ben je als bloemenmeisje maar twee stappen verwijderd van de prinsessenstatus. Het spreekt voor zich dat de jurk vroeg is uitgezocht, nog voor Kelli de aankondiging deed, in voorbereiding op een andere bruiloft (die van haar tante, die binnen een maand is). En in de massahysterie van trouwgekte die onze familie dit jaar treft, werd besloten dat de meisjes de jurk van hun keuze mochten dragen, zolang die maar wit was. Zo zouden ze bij elke kleur op het feest passen. Helemaal volgens het trouwprotocol koos Gracie een witte jurk met roze bloemen, maar Elena koos een compleet roze jurk met ruches. Daar ging het trouwprotocol. Maar wie durfde er nee zeggen tegen Elena? Wat Elena wil, krijgt ze. Kelli koos groen voor de japonnen van de bruidsmeisjes. Haar bloemen waren rood met wit. Zelfs de mannen droegen groene sjerpen. Maar Elena was in het roze.

In de dagen voor de bruiloft was de opwinding voelbaar. Er werden plannen gemaakt en er werd gerepeteerd. Jurken werden dagelijks geïnspecteerd. Er werd geredderd over elk klein detail. De nacht ervoor was echter slapeloos. Althans voor Elena. Op de een of andere manier denk ik dat Kelli die nacht beter sliep. Elena is een meisje dat vroeger haar boeken in volgorde van grootte en kleur op haar boekenplank plaatste, en we zagen de obsessieve gewoonte weer even naar boven komen. Ik had nooit gedacht dat ik daar nog eens blij mee zou zijn. Eindelijk gaf ze iets om iets anders dan die nacht bij mama te mogen slapen.

Mijn moeder, tante Jenny en tante Jacky, iedereen leek opgewonden over de grote première van Elena. En al waren we een beetje bang dat Kelli's bruiloft de presentatie werd van Elena als bloemenmeisje, juist Kelli deed haar uiterste best om Elena erbij te betrekken. Ik weet niet of het bedoeld was als afleiding voor Elena of dat het bij de ceremonie hoorde, maar we zijn haar er eeuwig dankbaar voor. Zo vaak zie je je dochters niet over het middenpad van de kerk lopen. Al is het maar één keer, dat is genoeg voor een vader.

Het trouwen verliep vlot. Elena was aandachtig en opgewonden. Ondanks haar verlamming zagen we het aan haar ogen bij elke knik 'ja' en 'nee'. Gracie liep langzaam, trapte niet op haar jurk en strooide bloemblaadjes. Zoveel zelfs dat ze bij de zevende rij al de helft van haar voorraad kwijt was en het achterste deel van het heiligdom op een bloedbad van rozenblaadjes leek. Daarna ging ze over op het rondstrooien van denkbeeldige bloemblaadjes. Zoals ik al zei, ze stal weer eens de show.

Vandaag vormde een welkome afleiding van de gebeurtenissen van afgelopen week. Keer op keer probeerden we Elena aan te moedigen en te verleiden, om iets van haar persoonlijkheid, al was het maar een zweem, aan haar lippen of ogen te ontlokken. Maar nu ze op haar ogen na volledig verlamd is, hebben we geen teken mogen ontvangen. Zo beginnen de onvermijdelijke gedachten als je ziet hoe ze zich afsluit voor de rest van de wereld, want ze reageert niet eens meer op de meest liefdevolle aanrakingen of kus welterusten. Dan begin je je als vader af te vragen of ze er wel is. Weet ze dat je in haar oor fluistert, weet ze dat je haar hand vasthoudt? Of is het voor jezelf dat je die voedingssonde inbrengt en nog een infuus aansluit, en niet voor haar? Hoe zit het met de kwaliteit van leven? Of is dat maar een moderne manier om te zeggen dat je het vechten opgeeft en je ware bedoelingen weg te rationaliseren? En als je het opgeeft, zul je dan op een dag zeggen dat dat het beste was terwijl je je heimelijk afvraagt wat er was gebeurd als je sterker was geweest en was blijven vechten? Ik beweer niet dat ik de antwoorden weet en ik wil ze al helemaal niet van iemand anders horen. Maar na ongeveer een week geen respons te hebben waargenomen, vraag ik me wel af of het hierdoor gemakkelijker wordt om op te houden met vechten. Was ik mijn Elena al kwijtgeraakt toen ze een week geleden stopte met reageren? En ook al weet ik dat het denkende en voelende meisje nog steeds onder dat levenloze gezicht schuilt, wat is het leven zonder communicatie? O, wat had ik het vanavond hard nodig om een teken van haar te krijgen.

Vanavond zou ik leren hoe weinig ik wist. In de loop van de bruiloft reageerde ze eindelijk met opwinding en passie. In haar ogen zagen Brooke en ik haar kijken, zich verwonderen en dromen van haar eigen bruiloft. Compleet met bloemenmeisjes en haar eigen witte, klokkende jurk (of misschien toch roze?). Maar pas op de receptie communiceerden we eindelijk met elkaar, deze keer als dochter en vader.

Terwijl we de meisjes vol overgave zagen draaien op de lege dansvloer, eindeloos rondtollend om vervolgens op de grond te vallen, trok Elena mijn aandacht met haar ogen. Moest ze naar de wc? Nee. Wilde ze een pretzel? Nee. Zat ze niet lekker? Nee. Had ze het koud? Nee. Ik had geen vragen meer. Dus keken we stilletjes naar Gracie die rondjes draaide en zich weer liet vallen, deze keer bleef ze lachen tot ze op de grond lag. Ik vroeg of ze wilde dansen. 'Ja,' knikte ze. Wilde ze rondjes draaien? Nee. Wilde ze met mama dansen? Nee. Ik zweeg. Ze wilde nooit meer met papa knuffelen. Ze wilde nooit papa's troost in de spreekkamer van de dokter. Ze wilde zelfs niet eens dat papa haar kietelde voor het naar bed gaan. Toch vroeg ik het: 'Wil je met papa dansen?' 'Ja,' knikte ze enthousiast. Ik vroeg het nogmaals. Ze had me duidelijk niet goed begrepen, maar het antwoord bleef hetzelfde.

Een liedje, twee liedjes. Een derde en uiteindelijk een vierde liedje. Ze bleef steeds ja knikken en om meer vragen. Dit was papa's dans en niemand kon me dit nog afnemen. Het was de dans waarop ik altijd gewacht had, alleen niet op de bruiloft die ik daarbij in gedachten had gehad. Dus dansten we op een lege dansvloer op liedjes van Lionel Richie die de dj naar mijn overtuiging gratis had gekregen bij een of andere garageverkoop, samen met Gracie, Allyson en Michelle, rondjes draaiend tot we duizelig waren. Ik danste belabberd, de sfeer was wel eens beter geweest, maar het was een avond die ik nooit zal vergeten. En tijdens het derde liedje voelde ik langzaam haar hand opengaan uit de door de verlamming samengebalde vuist. Ze bewoog hem en gaf een tikje in mijn nek. Communicatie. Niet met woorden en niet met ogen, maar met liefde. Ik hoop nog eens zo met haar te mogen dansen, maar dan op haar eigen bruiloft.

DAG

KEITH **250** BROOKE

5 augustus

Vroeg wakker. Twee bakjes ontbijt. Spelen met de hond. Een wandelingetje met de familie. Nog meer familie opzoeken. Vijf boeken lezen. Naar bed gaan. Voor ieder normaal kind zou dit een volle dag zijn. Voor Elena was het een wonder.

Nadat ze de afgelopen drie weken niet in staat was geweest om haar mond ver genoeg te openen om zelfs maar wat melk naar binnen te laten sijpelen, begon Elena deze dag zonder beperkingen. Omdat ze meteen bij het wakker worden liet merken honger te hebben, grepen we de gelegenheid om haar eens te voeden zonder de hulp van de sonde, die uit haar neus bungelde, met beide handen aan. Het gaf niet dat sinds ze de vorige avond was gaan slapen, zij haar portie dagelijkse calorieën al via de sonde binnen had gekregen; ze had nog steeds honger. En toen we erachter kwamen dat haar tanden eindelijk hun ijzeren greep hadden losgelaten, wisten we dat het een dag vol verrassingen beloofde te worden. Snel stopten we alles wat we in de vriezer konden vinden in haar wachtende mond, voor die weer zou sluiten om nooit meer open te gaan. Gelukkig werkte haar mond goed mee, want ze schrokte die dag niet alleen een beker yoghurt naar binnen, maar ook een paar pretzels, enkele aardbeien, wat cornflakes en twee glazen melk.

Het was pure opwinding toen we onze dochter weer zagen opbloeien, compleet met haar obsessieve neigingen en haar zucht om normaal te zijn. De verlamming begon weg te ebben toen ze af en toe haar hoofd ophief en een gebaar maakte met haar linkerhand. Zelfs zij kon toch tevreden zijn dat ze op een dag zoveel vooruitgang boekte. Toen we haar zagen huilen aan de eettafel in het huis van opa-opa, begrepen we er dan ook niets van. Voor haar hoorde bij het normaal zijn ook dat ze met Gracie en de andere kinderen in de achtertuin kon spelen. Dus tilden we de rolstoel op om haar op haar troon over de verandatrap naar de meute wachtenden in de achter-tuin te dragen. En hoewel niemand een score bijhield, wisten we wie er die dag had gewonnen.

Tijdens het naar bed brengen van de meisjes zetten we alle successen van die dag op een rij terwijl we onze favoriete verzameling van moppen-boeken lazen. De clous waren niet nieuw en de grappen waren onschuldig, maar voor Elena en Gracie was het een heerlijke manier om de dag te ein-digen. Gracie begon met het 'Klop-klop', en Elena reageerde door met haar ogen te knipperen en zo de lettergrepen van 'Wie is daar?' en 'Archie wie?' te spellen. Zelfs Pueblo, ons nieuwe hondachtige broertje, blafte af en toe om Elena wakker te houden toen ze in slaap dreigde te vallen. En toen Gracie de clou prijsgaf, begonnen we allemaal te lachen, of we het nu grappig vonden of niet, ook Elena.

Ja, echt een verrassing en ook een heel bijzondere. Voor herhaling vatbaar.

DAG

KEITH **254** BROOKE

9 augustus

Ik ben bang dat Elena meer weet dan wij. De afgelopen drie dagen wilde ze met papa dansen, in de tuin spelen, een Happy Meal en chocolade-ijs eten, zwemmen, in bad en een spelletje kaarten. Interessanter dan haar plotselinge uitbarsting van energie is echter het feit dat ze deze activiteiten de afgelopen maanden stuk voor stuk heeft gemeden. Ze verkoos papa boven oma en mama als danspartner, de man die ze versmaadde zodra het tijd was om te knuffelen, eten of slapen. Ze wilde een spel spelen dat ze nooit eerder had gespeeld, een spel waarbij haar verlamde armen nutteloos bleken te zijn. Ze wilde een Happy Meal, ook al wist ze dat ze niet eens een klein frietje zou kunnen eten. Voor haar was het genoeg om ernaar te kijken. Ze vroeg om chocolade-ijs, wat voor een puur vanillemeisje ronduit verbazingwekkend was. Ze vroeg zelfs om te gaan zwemmen, een activiteit waar ze bang voor was geworden sinds ze begin januari het gevoel in haar armen was gaan verliezen. Ze wilde in bad, ook al vreesde ze de laatste tijd elke activiteit die ertoe zou kunnen leiden dat ze nog meer haar verloor. En gisteren wilde ze een kaartspelletje doen. Uit noodzaak en omdat het het enige was wat er nog in onze overvolle rugzak paste, hadden we tijdens de chemotherapie veel gekaart in het ziekenhuis. Ze vond er nooit veel aan. Om je de waarheid te vertellen, ik vond er ook nooit veel aan, maar het

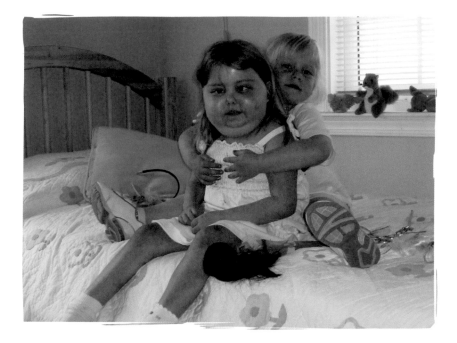

bood ons wat afleiding in de dagen die we voornamelijk in wachtruimtes doorbrachten. Het spel ging alles symboliseren waar we een hekel aan hadden in het ziekenhuis.

Samen symboliseren deze activiteiten alles waar Elena bang voor was of wat ze nooit deed. En drie dagen lang voelde ze zich goed genoeg om alles te ervaren. Eindelijk kon ze haar mond openen, haar linkerhand bewegen en met ons communiceren door met haar ogen te knipperen. Maar vanmorgen is dat allemaal gestopt. Haar hand is weer bewegingloos, de mond hangt slap en haar linkeroog is nu volledig blind en verlamd. Ze krijgt voedsel uit haar sonde en drinken uit het infuus. De vitale link die we hadden om met onze dochter te communiceren, is verbroken. Wat drie dagen van feestvieren was, zijn nu misschien onze beste en laatste herinneringen.

Vandaag maakten we weer een uitstapje naar de Eerste Hulp. Brooke en ik hielden Elena's handen vast terwijl we haar borst bij elke ademhaling zagen rijzen en dalen. We zijn hier eerder geweest en bidden op een kans om opnieuw te beginnen. Maar als ik haar hoor ademen, kreunend en aarzelend, realiseer ik me dat het deze keer anders is. Voor mijn kleine meisje, dat ons zo vaak versteld heeft doen staan en de tumor tot vier keer toe te slim af is geweest, zijn er geen protocollen, behandelingen of antibiotica meer mogelijk. Het is nu aan haar en we kunnen alleen maar toekijken. Het belooft een lange avond te worden. Ik weet nu dat ze meer weet dan wij; ik bid alleen dat ze ook over de nodige moed en wilskracht beschikt.

DAG

255

KEITH BROOKE

10 augustus

Er is iets aan het onvermijdelijke. Je verwacht het einde maar het komt nooit snel genoeg. Vanavond hebben we alleen het onvermijdelijke. We hebben geen medicijnen meer, geen chemotherapie, geen controle over ons eigen leven; we zijn machteloos. Machteloos worstelen we met haar ziekte. Machteloos zitten we bij haar om haar hand vast te houden. Machteloos zien we haar happen naar adem.

Vanavond is Elena aan het onvermijdelijke begonnen. Na vanmorgen haar ogen een uur open te hebben gehad, zakte ze langzaam weg in een coma. En tijdens wat een leven lang leek te duren, keken we naar elke afzonderlijke ademhaling, aarzelend en hoestend. En voor de eerste keer realiseerden Brooke en ik ons tegelijk dat de strijd verloren is. Dat zal er wel bij horen bij een coma. Wanneer het laatste draadje communicatie verloren is geraakt en de afstand begint. De afstand tussen Gracie en Elena. De afstand tussen Elena en ons. De afstand tussen haar en een genezing. Terwijl de herinneringen beginnen te verflauwen, hopen wij op een pijnloos einde voor ons dappere meisje.

De afgelopen zeven maanden hebben we toegekeken en gewacht tot wij aan de beurt zouden zijn. Toegekeken hoe het ene na het andere kind een statistiek werd. We kenden het einde en hoe het zou komen. Maar nu vragen we het ons af.

Vandaag weten we hoe het is. Het lege gevoel, dat je niet weg krijgt en dat alleen maar opgevuld wil worden. Gisteravond raakte Elena in een coma en begon ze oppervlakkig adem te halen. Toen besloten we eindelijk Gracie te vertellen wat er zou gaan gebeuren. In de achtertuin op het trapje van het speelhuisje dat ik voor de meisjes had gemaakt, vertelden we Gracie dat haar zus dood zou gaan. We legden haar uit dat Elena een engel in de hemel zou worden. En vanavond moest ze afscheid van haar nemen. Op geheel eigen wijze vroeg Gracie of Elena dan vleugels zou krijgen en stelde daarna voor om haar naar buiten te halen zodat ze haar verzameling stenen kon zien.

We hebben de rest van de avond bij het speelhuisje doorgebracht terwijl Elena moeizaam lag te ademen en de hele familie om haar heen zat om haar te troosten. En met Brooke aan haar rechterzijde en ik aan haar linkerzijde hielden we haar handen vast onder de boom die ze ons had helpen planten toen we net in ons nieuwe huis waren komen wonen. Het was haar boom, haar keuze: een schitterende, scharlakenrode esdoorn.

De hele avond was ze rustig. Soms haalde ze door de druk van de tumor moeizaam adem, maar ze bleef de hele tijd slapen. Brooke en ik lagen naast haar in bed tot vanmorgen vroeg, toen ze eindelijk toegaf en ons verliet.

Vandaag heeft Gracie nog vragen en wij ook. Ik weet zeker dat de antwoorden mettertijd zullen komen, maar niet van één persoon en niet vandaag. Wat rest, is onze liefde voor onze dochters en ons verlangen om ons Elena zonder kanker te herinneren. Het huis is stil en ons hart is dat ook.

Vanmorgen droeg ik Elena in mijn armen naar de ambulance. Ze is nog steeds mijn dochter en ik weet dat ze het zou waarderen om in mijn armen gedragen te worden in plaats van op een brancard te worden vervoerd. Ze zal voor altijd onze dochter en een deel van ons gezin zijn. En hoewel alle sporen van medische toebehoren en apparaten binnen een paar uur buiten de deur stonden, zullen haar foto's onze muren altijd sieren als herinnering aan de inspiratie die ze ons heeft geboden.

Uiteindelijk besloten we een autopsie te laten uitvoeren om meer informatie over de tumor te krijgen, in de hoop andere kinderen te kunnen helpen die met deze hopeloze ziekte kampen. We bidden en zullen eraan blijven werken om Elena's strijd om een genezing voort te zetten zodat haar leven anderen lang na vandaag nog zal inspireren. De kerkdienst en herdenkingen komen later.

Vandaag blijven de herinneringen en de tranen komen. We zitten met zijn drieën aan tafel en passen met zijn drieën op de achterbank van een auto. Het bed is niet meer zo klein als het ooit was en ons huis is te groot. En we vinden briefjes die de afgelopen negen maanden door Elena in het hele huis verstopt zijn: 'Ik hou van jullie mama, papa en Grace.' Wij houden ook van jou, Elena. Meer dan je je kunt voorstellen.

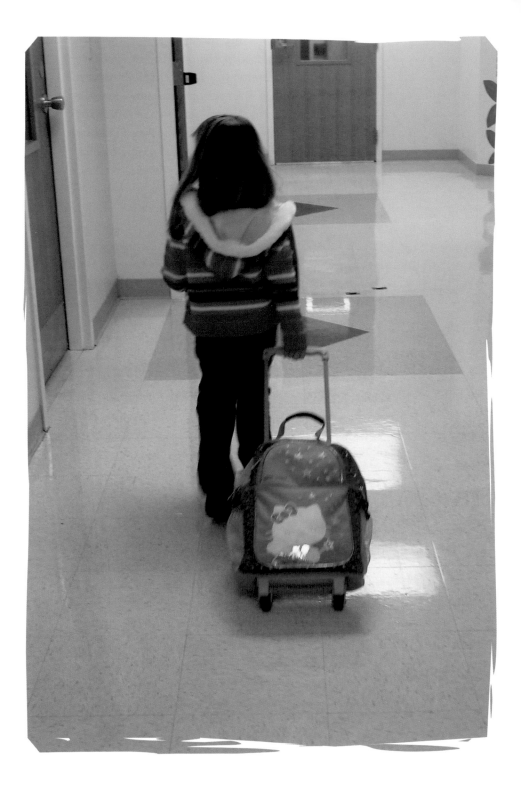

NA HELENA

12 augustus

Vandaag hebben we pijn. Elena's favoriete knuffeldieren, haar jurken en haar glinsterende schoenen blijven onaangeraakt in haar kast liggen. We kunnen nog geen zin uitspreken zonder die af te breken om na te denken. Waar we ooit zeiden: 'Kom, meisjes,' moeten we nu nadenken en zeggen: 'Gracie'. Zelfs bij de kleinste voornaamwoorden moet je zwijgen en je afvragen hoe het had kunnen zijn.

Ik ben in de rouw. Ik heb het, denk ik, zo druk gehad met sterk zijn voor Elena dat ik niet eens de moeite heb genomen om de dood als reële mogelijkheid te beschouwen. Natuurlijk heb ik me afgevraagd waarom en heb ik me verbaasd over haar vechtlust, maar diep vanbinnen heb ik elke opwelling om er echt naar te kijken onderdrukt. Nu kan ik niet eens een uur volmaken zonder een foto stevig vast te houden of even naar haar kamer te gaan om me haar te herinneren. Ik vermoed dat ik haar gewoon niet wil vergeten. Haar mooie ogen, haar lange wimpers, het geluid van haar lieve stem en de geur van haar haar (dankzij de rood geverfde lokken van onze vrienden in de salon).

Toen de zon gisteravond uit het zicht verdween en de laatste bezoeker van de oprit reed, zaten we als gezin van drie op het voortrapje naar de horizon te kijken. In de laatste momenten van de zonsondergang was de hemel bedekt met roze wolken. Gracie legde het verband als eerste. 'Kijk, papa en mama, Elena's wolken,' zei ze. Ze had gelijk. En gedurende de laatste minuten van de dag waren we weer even een gezin met vier leden. Roze was haar favoriete kleur. Bedankt voor de show, Elena.

14 augustus

's Avonds zagen ze eruit als engeltjes. Verloren in een droom; rustig en vredig. En ik wilde alleen maar nog een keer kijken naar de twee meisjes die zoveel voor me betekenden. Dus sloop ik op mijn tenen hun kamer in, deed het nachtlampje uit, legde de quilt over hen heen die ze kort daarvoor opzij hadden geschopt en kuste ze welterusten. Maar voor ik wegging, boog ik altijd voorover om iets in hun oor te fluisteren. 'Je bent mijn prinses. Je bent slim, je bent mooi en je gaat geweldige dingen doen,' zei ik, zacht strelend over hun haar voor ik naar onze kamer aan de andere kant van de gang vertrok.

Voor mij was er geen twijfel mogelijk. Elena en Gracie moesten er misschien aan herinnerd worden, maar ik wist dat mijn dochters zouden bereiken wat mij niet was gelukt. Zij zouden op de schouders van mijn familie staan en het onmogelijke doen. En Brooke en ik zouden aan de zijlijn staan en hun grootste fan zijn.

De dag waarop Elena overleed, lag onze wereld aan scherven. Zij en haar zus zouden altijd mijn prinsessen zijn. Ze zouden slim zijn en ze waren zeker mooi. Maar Elena had slechts zes korte jaren, zeker niet genoeg om geweldige dingen te doen. Nu weet ik dat ik me vergis. In zes jaar deed ze het onmogelijke en bereikte wat mij niet was gelukt. Alleen was het haar rol om te inspireren en moesten anderen de reis aangaan. Dat zie ik niet alleen terug aan de mensen die overal vandaan samenkomen om kanker te genezen, maar nog directer in de brieven die we nog steeds krijgen en die beginnen met 'Jullie kennen me niet maar…' en waar dan in staat dat hun leven zo veranderd is door haar strijd om gewoon te leven.

Elena's les gaat niet over dood en kanker, maar over hoop en leven. Ze heeft me geleerd hoe ik moet leven, liefhebben en lachen. Die les zal ik nooit vergeten.

Vanavond streel ik Gracies haar en fluister ik in haar oor: 'Je bent mijn prinses. Je bent slim, je bent mooi en je zult geweldige dingen doen.' Ik weet dat ze dat ook zal doen. Maar voor ik haar kamer uit loop, raak ik de foto van Elena aan die boven de lichtschakelaar hangt en fluister: 'Ik hou van je, Elena. Je zult geweldige dingen doen.'

15 augustus

Gisterochtend kreeg ik een telefoontje van de kapelaan van het ziekenhuis. Elena's stoffelijk overschot was gecremeerd en ze wilde de as persoonlijk komen brengen. Vreemd. Ik heb aldoor gedacht dat ik het meest tegen dit moment zou opzien. Ik dacht dat ik door haar as vast te houden pas echt tot het besef zou komen dat ze weg was, voor altijd. In plaats daarvan was ik opgelucht dat ze weer thuis was. Niet dat haar lichaam enige betekenis heeft; haar ziel zal altijd bij ons zijn. Maar haar lichaam was een tastbaar symbool van wat er over was van mijn dochter en ik wilde haar weer thuis hebben. Dat ik haar na haar dood naar de ambulance droeg, was het moeilijkst geweest. Voor het eerst in haar korte leven was ze in handen van iemand anders. Minuut na minuut vroeg ik me af waar ze was. Het drong door tot in al mijn gedachten en 's nachts maakte ik me zorgen over haar en wilde ik dat ze snel thuis zou komen. En eindelijk kwam ze dan thuis.

Daar stond ik met een tinnen beker met haar as erin. Klein, koud en eenvoudig. Helemaal niet mijn dochter, maar ik kon hem toch niet loslaten. Ik ging op de bank zitten en hield de beker vast tijdens wat wel uren leken te zijn. Je denkt nooit dat zoiets met je dochter gebeurt. Ik stelde me voor hoe ik haar als baby in mijn handpalmen hield, hoe ik haar als peuter wiegde, troostte als kind, knuffelde als tiener en met haar als jonge vrouw over het gangpad liep. Maar ik had nooit gedacht dat ik haar op deze manier zou vasthouden.

Brooke en ik hebben lang geleden al besloten om Elena's as te verspreiden; geen urn en geen begrafenis. Voor ons was dit de enige manier om door te gaan. Een eenvoudige ceremonie; mama, papa en Gracie. Elena zou in al haar nederigheid hebben gewenst dat haar as dicht bij huis verspreid zou worden. Kijkend naar de achtertuin hebben we het antwoord gevonden.

Drie jaar geleden, toen Elena amper drie jaar oud was, zat Gracie nog op mama's heup. We waren net in het nieuwe huis komen wonen en wisten dat we het ooit zouden moeten verbouwen. Maar omdat we geen geld hadden, konden we alleen maar bomen planten. De bomen die we in die tijd plantten, zouden volwassen zijn tegen de tijd dat we klaar waren voor de verbouwing, zodat ze voor schaduw zouden zorgen in de achtertuin. We kozen een es, een wilg, een eik, een suikerahorn en een magnolia uit. Deels uit budgettaire redenen en deels omdat we dachten dat we door een grotere diversiteit tenminste de zekerheid zouden hebben dat íets het zou doen, plantten we bomen die niet echt bij elkaar pasten. Toen Elena voorstelde om ook roze kornoelje te kopen, leek het ons beter om tijdig te stoppen. 'Nee,' zeiden we. Die zou het niet overleven vanwege de herten die onze achtertuin elke nacht plunderen. Maar Elena hield vol. 'Een rode dan?' vroeg ze. Oké, ze wilde een boom. Zwoegend door de modder zochten we een scharlakenrode esdoorn uit in het tuincentrum. Ten minste twee of drie bomen zouden wel bij elkaar passen en op deze manier zou het tenminste het grootste deel van het jaar groen zijn in onze tuin. Het was een schriel boompje, maar hij was ook goedkoop. We kochten het zonder ooit te verwachten dat het zou blijven leven of zelfs maar gedijen. Drie jaar later is het de sterkste boom in de tuin en ook de mooiste. Maar in de herfst wordt hij nooit rood. In plaats daarvan wordt hij twee dagen voor hij zijn bladeren laat vallen donkeroranje van kleur.

Morgen zal Elena's boom ook haar laatste rustplaats worden. We hebben er een stenen hekje omheen gebouwd en roze chrysanten geplant. Ik bid dat ik sterk genoeg ben om haar te laten gaan wanneer we haar as hier morgen verspreiden. Misschien zal de boom deze herfst eindelijk scharlakenrood worden, maar Elena kennende zou het me niet verbazen als hij roze wordt.

NAWOORD

Hoewel ik me niet elk moment van haar leven kan herinneren, weet ik nog wel hoe de avonden waren. De avonden begonnen met een bad en een boek. Ze koos altijd het grootste boek, hoe we ook smeekten het dunste te nemen. Ze koos altijd *A Light in the Attic* of *One Fish, Two Fish, Red Fish, Blue Fish*. Wij lazen voor en zij luisterde, maar als we het te lang vonden duren en een bladzijde oversloegen, betrapte ze ons en bladerde weer terug. Wat zou ik die bladzijden graag terugkrijgen. We besloten de avond met een kus, een kietel en een opmerking over hoe trots we waren. Dat waren de avonden die ik nog eens zou willen beleven.

Ze zeggen dat het in de loop der tijd gemakkelijker wordt. Dat je haar dood op een dag gaat accepteren. Ik denk niet dat ik dat ooit ga doen. In plaats daarvan ga je de simpelere momenten van het leven koesteren, daarin zul je rust vinden. Elena was de lerares en de lessen die ze overal in huis heeft achtergelaten, zijn in briefjes met roze hartjes erop gewikkeld. Zij heeft ons geleerd betere mensen en een sterker gezin te worden dan we ooit voor mogelijk hielden.

Sinds haar dood zijn haar lessen nog sterker, maar dat geldt ook voor de emoties. Elk ogenblik en elke handeling herinnert ons aan haar nalatenschap. Ze zal elke dag deel blijven uitmaken van ons gezin. Haar foto's blijven onze muren sieren en haar inspiratie is terug te vinden in haar charitatieve stichting. Zo zullen we haar nooit vergeten.

Gracie beschikt over een wijsheid waarvan ik wenste dat ze die niet had. Brooke en ik hebben een perspectief. Wat ooit essentieel was, is nu triviaal; wat ooit een prioriteit was, is nu een afleiding. We kennen geen angst. De dood is een deel van het leven en geen einde, en hij schenkt waarde en richting aan datgene wat we belangrijk vinden. We zien het leven elke dag als een geschenk en we zien elk moment als een gelegenheid.

En dat doen we omdat Elena ons de meest waardevolle les van allemaal heeft geleerd.

Op een dag geven we deze les door aan Gracie, met de bladzijden van dit dagboek. Het meeste weet ze al. Maar misschien zal het haar leren van haar eigen kinderen te houden, ze te kietelen als ze naar bed rennen en nooit een bladzijde over te slaan. Ik hoop het. Het is Elena's les en een die ik nooit zal vergeten.

DE GENEZING BEGINT NU

Elena is niet de enige. Elke dag krijgen duizenden mensen kanker. Velen zullen het overleven. Te veel zullen dat niet. Dit boek is een boodschap aan iedereen, geschreven met de intentie de herinneringen aan een zesjarig meisje te bewaren voor haar zusje dat te jong is om ze te onthouden. Maar misschien kunnen we er allemaal van leren hoe we de momenten met onze dierbaren moeten koesteren en wat de echte waarde van het leven is.

Dit boek heeft ook een andere boodschap. Met het bericht op 3 maart eindigden we het dagboek met een simpele boodschap: de genezing begint nu. Voor ons was het een smeekbede, de beslissing om de kanker niet te accepteren en nooit toe te geven. Dood en leed door deze ziekte zijn niet onvermijdelijk of 'Gods wil'. Wij konden meer doen, als ouders. Na verloop van tijd werd het een motto voor familie en vrienden. Tegenwoordig is het een zaak die nieuwe hoop en uitzicht biedt in de vorm van een non-profitorganisatie. Het is nu een oproep dat wij, als samenleving, meer kunnen doen.

In ons gevecht tegen kanker hebben we twee strategieën. Op het moment passen we er maar een toe. We vechten meestal met aantallen tegen kanker. We voeren tellingen uit om sterftecijfers te berekenen en bepalen dan welk onderzoek gefinancierd dient te worden in overeenstemming met de hoeveelheid mensen die overlijdt. Het is een strategie voor een wereldwijde ziekte die geen politieke grenzen kent. Het is een comfortabele strategie – voor sommigen zelfs een redelijke – maar toch zou hij nooit de enige mogen zijn. Elk jaar overlijden er meer mensen aan kanker en de organisaties die het gevecht voeren, bestaan al zeventig jaar of langer. Als maatschappij moeten we het onacceptabel vinden dat het gevecht niet gewonnen kan worden en dat het tientallen jaren zou moeten duren om te genezen wat we tientallen jaren geleden hadden moeten genezen.

Er is een tweede strategie. Die is noch politiek correct, noch eenvoudig. Hierbij gaat het om het aanwijzen van die soorten kanker waar we het meest van kunnen leren. Sommige daarvan treffen duizenden mensen, andere slechts enkelen, maar ongeacht hun reikwijdte zouden de te leren lessen ons allemaal kunnen genezen. Van hersentumoren bij kinderen kunnen we allemaal iets leren. Misschien schuilt er een 'homerun genezing' in voor kanker als we de lessen op alle soorten kanker kunnen toepassen. Als we kanker willen genezen, is het misschien de slimste strategie om bij onze kinderen te beginnen. Daarmee verzekeren we ons er wellicht van dat het gevecht over twintig jaar voorgoed voorbij is.

De 'homerun strategie' is niet zonder problemen. Het is geen alternatief voor de strategie om kanker met aantallen te genezen, maar de strategie is onze aandacht en investeringen waard. Maar anders dan andere strategieën tegen kanker, is de steun die we krijgen misschien wel nooit afkomstig van een overheidsbudget of beleid. Hij komt van jullie.

Uiteindelijk begint het bij kinderen als mijn dochter Elena. Spoedig zal het een beweging zijn. Op een dag zou het een genezing voor ons allemaal kunnen worden. Onze kinderen verdienen beter. De Genezing Begint Nu.

Voor meer informatie kijk op www.thecurestartsnow.org.

DANKWOORD

Onze familie en vrienden bedanken we voor hun steun en hun invloed bij het publiceren van dit boek. We zijn ook dankbaar voor de toewijding van onze agent Sharlene Martin, de leiding van onze uitgever Justin Loeber en de ijver van Lisa Sharkey, Amy Kaplan en het hele team bij HarperCollins. Met hun geduld, integriteit en toewijding aan Elena's nalatenschap hebben ze ons ongelofelijk getroost en ons over de angst heen geholpen om dit dagboek te publiceren. We willen ook Martha Montgomery, Patricia Harman, Judy Morgan en Margaret Theile speciaal bedanken voor het werk dat ze hebben verricht om Elena's boodschap van online dagboek naar papier te vertalen. En altijd Tiffany Kinzer, die erop stond dat dit boek meer is dan alleen voor Gracie.

W 19,95 du so 239
13/02/10